La increïble història de...

M

David Walliams

La increïble història dels...

AMICS DE MITJANIT

Il·lustracions de
Tony Ross

Traducció de
Ricard Gil

montena

Paper certificat pel Forest Stewardship Council®

Penguin
Random House
Grupo Editorial

Títol original: *The Midnight Gang*
Primera edició: abril del 2017
Tercera reimpressió: juny del 2021

Publicat per acord amb HarperCollins Children's Books,
una divisió de HarperCollins Publishers Ltd.

© 2016, David Walliams
© 2016, Quentin Blake, pel *lettering* del nom de l'autor a la coberta
© 2017, Penguin Random House Grupo Editorial, S. A. U.
Travessera de Gràcia, 47-49. 08021 Barcelona
© 2017, Ricard Gil Giner, per la traducció
© 2016, Tony Ross, per les il·lustracions
Il·lustració de la coberta: Tony Ross

Printed in Spain – Imprès a Espanya

ISBN: 978-84-9043-773-5
Dipòsit legal: B-4.882-2017

Compost a Compaginem Llibres, S. L.
Imprès a Reinbook Serveis Gràfics, S. L.
Sabadell (Barcelona)

GT 3 7 7 3 B

*Per a la Wendy i en Henry, dos lectors
entusiastes i futurs escriptors*

AGRAÏMENTS

Voldria donar les gràcies a:

IL·LUSTRADOR
TONY ROSS

EDITORA EXECUTIVA
ANN-JANINE MURTAGH

DIRECTOR EXECUTIU
CHARLIE REDMAYNE

AGENT LITERARI
PAUL STEVENS

CORRECTORA
ALICE BLACKER

DIRECTORA EDITORIAL
KATE BURNS

EDITORA CAP
SAMANTHA STEWART

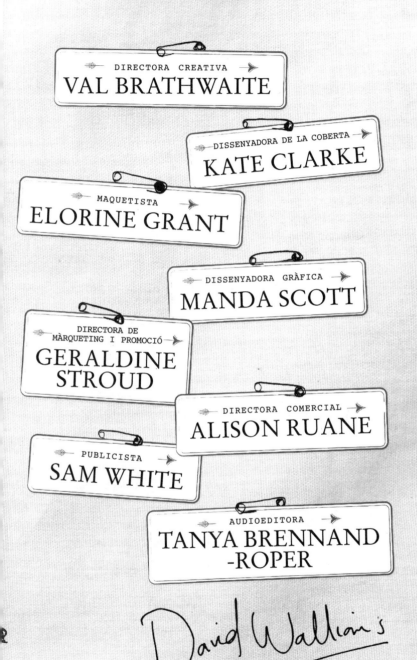

DIRECTORA CREATIVA
VAL BRATHWAITE

DISSENYADORA DE LA COBERTA
KATE CLARKE

MAQUETISTA
ELORINE GRANT

DISSENYADORA GRÀFICA
MANDA SCOTT

DIRECTORA DE
MÀRQUETING I PROMOCIÓ
GERALDINE STROUD

DIRECTORA COMERCIAL
ALISON RUANE

PUBLICISTA
SAM WHITE

AUDIOEDITORA
TANYA BRENNAND -ROPER

David Walliams

GIREU CAP AQUÍ

Benvinguts al món dels Amics de Mitjanit

Aquest és l'**HOSPITAL LORD FUNT**, a Londres, Anglaterra. El van construir fa una pila d'anys i l'haurien d'haver enderrocat també fa una pila d'anys. L'hospital va ser batejat en honor del seu fundador, el difunt Lord Funt.

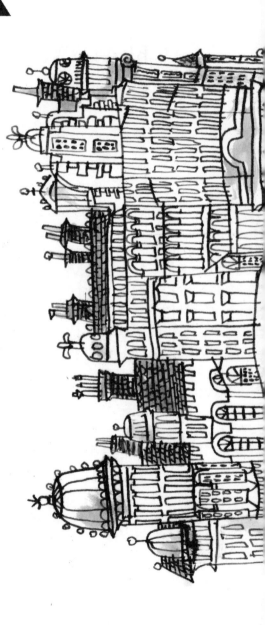

Donem una ullada a l'interior de l'HOSPITAL LORD FUNT.

GIREU CAP AQUÍ

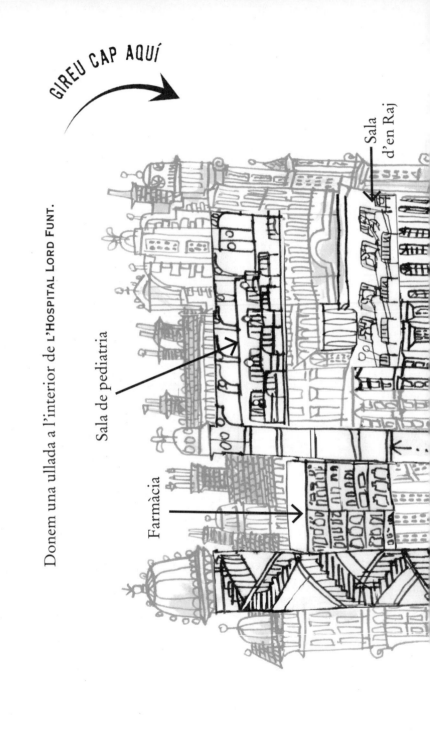

Sala de pediatria

Farmàcia

Sala d'en Raj

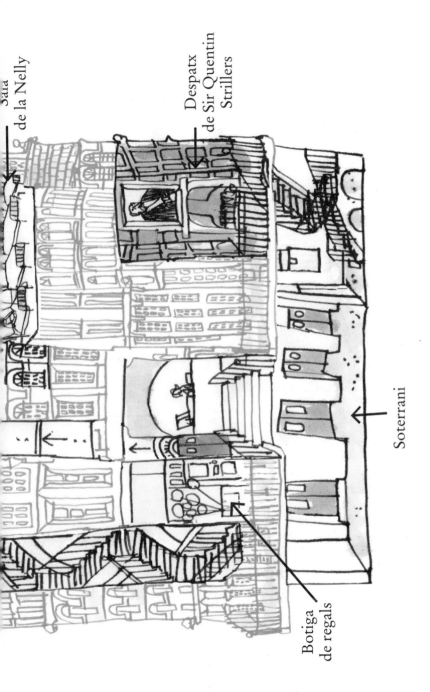

Sala de la Nelly

Despatx de Sir Quentin Strillers

Soterrani

Botiga de regals

Us presento els pacients de la sala de pediatria, que és a dalt de tot, al pis quaranta-quatre de l'hospital.

Aquest és en Tom. Té dotze anys i va a un internat molt exclusiu. S'ha donat un cop al cap.

L'Amber té dotze anys. S'ha trencat els dos braços i les dues cames, i per això fa força temps que va en cadira de rodes.

En Robin també té dotze anys. S'està recuperant d'una operació per salvar la vista, i de moment no hi veu gens.

En George té onze anys i prové del barri
de l'East End de Londres, per això tothom
el considera un *cockney*. S'està recuperant
d'una operació. Li han tret les amígdales.

La Sally només té deu
anys i és la més petita
del grup. Com que està tan
malalta, es passa la major
part del temps dormint.

A baix, en una de les sales per a adults, hi ha la pacient més vella de l'hospital, la Nelly, de noranta-nou anys.

A L'HOSPITAL LORD FUNT hi treballen centenars de persones. Aquestes en són algunes:

El conserge. Una figura solitària, el nom real del qual és un misteri. La seva feina consisteix a traslladar persones i coses per l'hospital. Diuen que no surt mai de l'edifici.

La matrona. És l'encarregada de la sala de pediatria, però no li agraden gens els nens.

El doctor Luppers s'acaba de treure el títol de metge, i no costa gaire engalipar-lo.

La Tootsie és l'encarregada del menjador de l'hospital. Reparteix els àpats a tots els pacients amb un carretó.

La infermera Meese té un aspecte cansat. Sembla que no hagi tingut mai una nit lliure.

La Dilly és una de les dones de la neteja de l'hospital. És fàcil endevinar què ha netejat, perquè sempre deixa una reguera de cendra de cigarret per allà on passa.

El senyor Cod és el vell farmacèutic. Duu un aparell per a l'oïda i unes ulleres de cul de got. S'encarrega de la farmàcia de l'hospital.

Sir Quentin Strillers és l'aristocràtic
director de l'hospital i és el responsable
de tot i de tothom.

De fora de l'hospital hi ha el senyor Thews, el director de l'escola d'en Tom, **_l'internat per a nois St. Willet's_**.

A mitjanit,

tots els nens

han

anat a dormir...

a excepció, és clar, dels

Amics de Mitjanit!

Aquesta és l'hora en

què les aventures

comencen

de debò.

CAPÍTOL 1

L'HOME MONSTRE

—Aaarrrggghhh! —va cridar el noi.

El rostre més monstruós que havia vist mai l'esguardava des de dalt. Era el rostre d'un home, però era completament asimètric. Una meitat era més gran del que és habitual i l'altra meitat era més petita. El rostre va somriure com si volgués tranquil·litzar el noi, però, en fer-ho, va deixar al descobert unes dents trencades i podrides. El noi es va espantar encara més.

—Aaarrrrrggghhh!!! —va tornar a cridar.

—No passa res, jove senyor. Si us plau, miri de calmar-se —va murmurar l'home, arrossegant les paraules.

Si el rostre era deforme, la manera de parlar encara més.

Qui era aquell home? On s'enduia el noi?

En aquell moment, el noi es va adonar que estava ajagut d'esquena, mirant al sostre. Gairebé tenia la sensació que flotava. Però hi havia alguna cosa que **trontollava**. Tot ell **trontollava**. El noi va pensar que devia estar estirat en una llitera. Una llitera amb les rodes tortes.

Les preguntes li emboiraven el cap.

On era?

Com hi havia arribat?

Com és que no es recordava de res?

I el més important, qui era aquell home monstre terrorífic?

La llitera avançava lentament per un passadís molt llarg. El noi va sentir el so d'alguna cosa que s'arrossegava per terra. Sonava com el *xerric* d'una sabata.

Va mirar cap avall. L'home coixejava. Tal com passava amb el rostre, tenia una part del cos més petita que l'altra, i l'home arrossegava la cama atrofiada. Semblava que cada moviment li resultés dolorós.

B A N G!

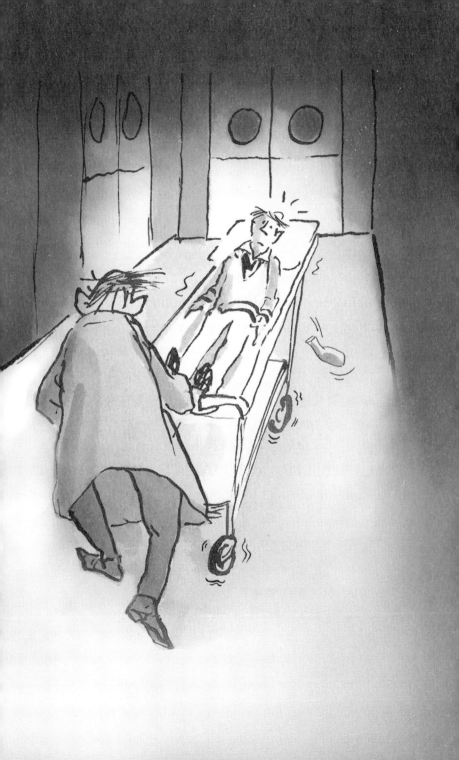

Es van obrir unes portes altes i la llitera va entrar rodant en una habitació i es va aturar de cop. De seguida, unes cortines es van tancar al voltant del noi.

—Espero que el trajecte no li hagi resultat gaire incòmode, jove senyor —va dir l'home. El noi va trobar curiós que aquell home li digués «senyor». Mai, que ell recordés, no l'havien tractat de senyor. Només tenia dotze anys. «Senyor» era un títol que semblava reservat als professors de l'internat on estudiava—. Ara esperi's aquí. Jo només sóc el conserge. Vaig a avisar la infermera. Infermera!

Ajagut a la llitera, el noi es va sentir estranyament desconnectat del seu cos. El notava flàccid. Sense vida.

Però el que realment li feia mal era el cap. Li palpitava. Li cremava. Si aquella sensació s'hagués convertit en un color, hauria estat el vermell. Un vermell brillant, roent, rabiós.

El dolor era tan intens que va haver de tancar els ulls.

Quan els va obrir, es va adonar que mirava directament un llum fluorescent brillant. El mal de cap es va fer encara més intens.

Aleshores va sentir el so d'uns passos que s'acostaven.

Algú va córrer les cortines.

Una dona grassa i corpulenta, que vestia un uniforme blau i blanc amb còfia, es va inclinar i va examinar el cap del noi. Uns cercles foscos li emmarcaven els ulls injectats en sang. Uns cabells grisos i aspres li poblaven la closca. Tenia la cara d'un vermell cru, com si l'hi haguessin gratat amb un ratllador de formatge. En resum, tenia l'aparença d'algú que no havia dormit en una setmana i que estava empipat per aquest motiu.

—Ai, marona! Ai, marona, marona. Ai, marona, marona, marona... —va murmurar a ningú en particular.

Malgrat l'estat de confusió en què es trobava, el noi es va concentrar una mica i va deduir que la dona anava, de fet, vestida d'infermera.

Per fi, el noi va comprendre on era. Allò era un hospital. Mai no havia estat en cap hospital, llevat del dia que va néixer. I, d'allò, ja no se'n recordava.

Els ulls del noi es van desplaçar fins a la placa en la qual la dona duia escrit el seu nom: INFERMERA MEESE, **HOSPITAL LORD FUNT**.

—Això és un bony. Un bony gros. Un bony molt gros. A veure, et fa mal? —va dir tot clavant-li el dit al cap amb una força desmesurada.

—Aaaiii!!! —va cridar ell tan fort que el crit va ressonar per tot el passadís.

—Dolor lleuger —va murmurar la infermera—. Bé, avisaré el doctor. Doctor!

Va descórrer la cortina, va sortir i la va tornar a córrer.

Ajagut a la llitera, mirant al sostre, el noi va sentir el so d'uns passos que s'allunyaven.

—Doctor! —va tornar a bordar ella, passadís enllà.

—Ja vinc, infermera! —va arribar una veu remota.

—De pressa! —va cridar ella.

—Ho sento! —va dir la veu.

Aleshores es va sentir el so d'uns passos que s'acostaven a gran velocitat.

Van tornar a descórrer la cortina.

Un home jove, amb el rostre punxegut, va entrar tot apressat, amb la bata blanca i llarga voleiant darrere seu.

—Vaja, vaja, vaja —va anunciar una veu amb accent de casa bona. Era el metge, que s'havia sufocat una mica per la corredissa. El noi va alçar la vista i

va llegir la placa amb el nom de l'home: DOCTOR LUPPERS.

—És un bony molt gros. Et fa mal? —L'home es va treure un llapis de la butxaca del pit. Aleshores el va agafar per una punta i el va fer repicar contra el cap del noi.

—Aaaiii!!! —va tornar a cridar el noi. No era tan dolorós com quan l'havien punxat amb un dit vell i nuós, però continuava fent mal.

—Ho sento, ho sento, ho sento! Si us plau, no presentis cap queixa contra mi, m'acabo de treure el títol de metge, saps?

—No ho faré —va murmurar el noi.

—N'estàs segur?

—Seguríssim!

—Gràcies. Ara m'he d'assegurar de seguir el procediment. Caldrà omplir aquest petit formulari d'admissions.

I llavors, va desenrotllar un formulari tan

llarg que semblava que calgués una setmana per completar-lo.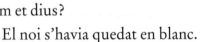

El noi va sospirar.

—Bé, jove —va començar a dir el metge amb una cantarella pensada per fer més divertida aquella tasca tan avorrida—, com et dius?

El noi s'havia quedat en blanc.

No li havia passat mai, allò d'oblidar-se del nom.

—Nom? —va tornar a preguntar el metge.

Però, per molt que s'hi esforçava, el noi no l'aconseguia recordar.

—No ho sé —va confessar.

CAPÍTOL 2
AQUÍ O ALLÀ

Una expressió de pànic va travessar rabent el rostre del metge.

—Oh, no —va dir—. En aquest formulari hi ha noranta-dues preguntes, i ja ens hem encallat en la primera.

—Ho sento —va respondre el noi. Ajagut a la llitera de l'hospital, una llàgrima li va regalimar per la galta. Incapaç de recordar com es deia, se sentia com un fracassat.

—Oh, no! Estàs plorant! —va exclamar el metge—. No ploris, si us plau! Podria venir el director de l'hospital i pensar que he fet alguna cosa que no t'ha agradat!

El noi va fer tot el que va poder per aturar el plor. El doctor Luppers es va regirar les butxaques buscant-hi un mocador de paper. Com que no en va trobar cap, va eixugar els ulls del noi amb el formulari.

—Vaja! Ara el formulari és moll! —va exclamar.

Aleshores va començar a bufar el formulari per mirar d'assecar-lo. Això va fer riure al noi—. Molt bé! —va dir l'home—. Estàs somrient! Mira, estic segur que podrem esbrinar el teu nom. Comença per **A?**

El noi estava força segur que no.

—Em sembla que no.

—B?

El noi va negar amb el cap.

—C?

Va tornar a negar amb el cap.

—Sembla que això anirà per llarg —va murmurar el metge en veu baixa.

—T! —va exclamar el noi.

—Vols una tassa de te?

—No! El meu nom. Comença per **T!**

Amb un gran somriure, el doctor Luppers va escriure la primera lletra a la part superior del formulari.

—A veure si ho endevino. **Tim? Ted? Terry? Tony? Teo? Taj?** No, no sembles pas un **Taj**... Ja ho tinc! **Tina?!**

Tota aquesta ràfega de suggeriments va emboirar encara més la ment del noi, que continuava tenint problemes greus per recordar, però finalment el seu nom li va venir a la memòria.

—Tom! —va dir en Tom.

—**Tom!** —va exclamar el metge, com si hagués estat a punt d'endevinar-ho. Va escriure les dues lletres següents—. Aleshores, com et diuen? **Thomas? Tommy? Gran Tom? Petit Tom? Tom Petit?**

—Tom —va respondre en Tom, cansat. En Tom ja havia dit que es deia Tom.

—Tens cognom?

—Comença per C —va dir el noi.

—Bé, com a mínim tenim la primera lletra. Això semblen els mots encreuats!

—Charper!

—**Tom Charper!** —va dir l'home, escrivint ràpidament el nom sencer al formulari—. Ja hem completat la primera pregunta. Només ens en queden cent noranta-nou. A veure, qui t'ha portat a l'hospital? La teva mare i el teu pare són aquí?

—No —va dir en Tom. D'això n'estava segur. Els seus pares no eren aquí. No hi eren mai, aquí; sempre eren allà. Feia anys que havien empaquetat el seu únic fill i l'havien enviat a un internat molt exclusiu perdut al mig d'Anglaterra:

l'***internat per a nois St. Willet's***.

El pare d'en Tom guanyava molts di-

ners treballant en països llunyans del desert, extraient petroli de la terra, i la seva mare es dedicava amb molt d'èxit a gastar-se aquests diners. En Tom només els veia durant les vacances escolars, normalment en un país diferent cada vegada. Per molt que en Tom viatgés durant moltes hores per anar-los a veure, el pare sovint havia de continuar treballant tot el dia i la mare el deixava amb una mainadera i sortia a comprar més sabates i més bosses de mà. En arribar, el noi rebia uns regals esplèndids: un trenet nou, un avió en miniatura o una armadura de cavaller. Però com que no tenia ningú amb qui jugar, en Tom de seguida s'avorria. L'únic que desitjava era passar més temps amb els seus pares, però el temps era l'única cosa que ells mai no li donaven.

—No. El pare i la mare són a l'estranger —va respondre en Tom—. No estic segur de qui em deu haver dut a l'hospital, avui. Potser ha estat algun professor.

—Oooh! —va fer el doctor Luppers, amb ansietat—. Potser era el teu professor d'educació física? A la sala d'espera hi havia un home vestit d'àrbitre de criquet, amb barret de palla i una americana blanca i llarga, cosa que m'ha resultat ben poc usual, ja que no acostumem a celebrar partits de criquet a la sala d'espera.

—Doncs sí, devia ser el meu professor d'educació física, el senyor Carsey.

Els ulls del doctor Luppers van donar una llambregada ràpida al formulari. Novament semblava presa del pànic.

—Oh, no. Al formulari només hi posa «progenitor», «tutor», «amic» o «altres». Què faré ara?

—Marqui «altres» —va recomanar el noi, agafant les regnes de la situació.

—Gràcies! —va dir el metge amb aspecte alleujat—. Moltes, moltes gràcies. De quina lesió estem parlant?

—Un bony al cap.

—Sí, és clar! —va respondre el doctor Luppers, i ho va escriure al formulari—. Ara la pregunta següent. Diries que l'aparença general de **L'HOSPITAL LORD FUNT** ha estat «pitjor del que esperaves», «tal com esperaves», «millor del que esperaves», o «molt millor del que esperaves»?

—Quina era la primera? —va preguntar en Tom. El mal de cap li impedia pensar amb claredat.

—Oooh. Era «pitjor del que esperaves».

—El què?

—L'aparença general de l'hospital.

—Fins ara només n'he vist el sostre —va sospirar el noi.

—I com valoraries l'aparença general del sostre?

—Normal.

—Posaré «tal com esperaves». Pregunta següent: diries que el tractament que has rebut avui a l'hospital ha estat «pobre», «normal», «bo», «molt bo» o potser «massa bo»?

—Ha estat bé —va respondre en Tom.

—Mmm, ho sento, però «bé» no figura al formulari.

—«Bo», aleshores?

—I per què no «molt bo»? —va dir el doctor Luppers amb un rastre de súplica a la veu—. Seria bonic dir que he obtingut un «molt bo» en la meva primera setmana.

En Tom va sospirar.

—Doncs posi-hi «massa bo».

—Ooooh, gràcies! —va respondre el metge, amb els ulls ballant d'alegria—. Ningú no obté mai un «massa bo»! És clar que tinc por que «massa bo» signifiqui en realitat una cosa dolenta. No hi puc posar simplement «molt bo»?

—Sí, posi-hi el que li vingui de gust.

—Hi posaré «molt bo». Moltes gràcies! El director de l'hospital, Sir Quentin Strillers, estarà satisfet. Ara la pregunta següent. Estem agafant impuls. Recomanaries L'HOSPITAL LORD FUNT a amics i familiars, «amb el cor dividit», «amb un cor poc entusiasta», «de tot cor» o «molt de tot cor»?

De sobte, la infermera Meese va aparèixer tota atrafegada rere la cortina.

—No hi ha temps per a preguntes estúpides, doctor!

L'home es va posar la mà davant de la cara com si es volgués defensar d'una bufetada.

—No em faci mal!

—Ximplet! No ho faria pas! —va respondre la infermera, abans de fúmer-li una cleca a l'orella amb la seva mà forta i pesada.

—AI! —va cridar el doctor Luppers—. M'ha fet molt mal!

—Bé, doncs ja pot donar les gràcies perquè es troba en el lloc adequat per curar mals, ha, ha! —va riure la dona per sota del nas, i gairebé va aconseguir somriure—. Necessito que aquesta sala quedi buida de seguida! Estan traslladant en ambulància un quiosquer que s'ha grapat ell mateix els dits. Quin home més estúpid!

—Oh, no! —va replicar el metge—. No suporto veure sang!

—Tregui'm aquest noi de la vista abans que torni o li fumeré una cleca a l'altra orella!

Dit això, la infermera Meese va tornar a córrer la cortina i va marxar a tota velocitat pel passadís.

—Molt bé —va dir el doctor Luppers—, cal que accelerem el procés tant com puguem. —L'home es va posar a parlar molt de pressa—. Tens el cap força inflat. Et quedaràs a l'hospital en observació durant unes quantes nits. Només per assegurar-nos que no és res greu. Espero que no t'importi.

A en Tom no li importava en absolut quedar-se a l'hospital. Qualsevol cosa que li estalviés passar el temps en el seu internat avorrit ja li estava bé. Era una de les escoles més cares del país, i, per tant, la majoria de nois que hi assistien eren de famílies extremament benestants. Els pares d'en Tom eren rics perquè la feina del pare a l'estranger estava molt ben pagada, però la família no ho era gens, de casa bona. Hi havia molt nois que miraven en Tom amb uns aires de superioritat ben aristocràtics.

—T'enviaré de seguida a la sala de pediatria. Allà dalt s'està ben tranquil. Segur que descansaràs tota la nit. Conserge?

En Tom es va quedar glaçat de por en veure que l'home esguerrat tornava a entrar.

—Sí, doctor Luppers, senyor? —va remugar.

—Emporta't... Ho sento, ho sento, ho sento... Com has dit que et deies?

—Tom! —va respondre en Tom.

—Emporta't en Tom a la sala de pediatria.

CAPÍTOL 3

NYANYO

El conserge va empènyer la llitera d'en Tom fins a l'ascensor de l'hospital. Mentre pitjava el botó del pis més alt, l'home vell i deforme anava cantussejant en veu baixa. En Tom no podia suportar quedar-se sol amb ell. Encara no havia fet res *esgarrifós*, però tot ell era *esgarrifós*.

El noi no havia vist mai ningú tan espectacularment lleig. És cert que hi havia professors a l'internat exclusiu on anava que tenien uns físics tan desafortunats que els nois els havien rebatejat amb malnoms cruels, però cap d'ells era tan esgarrifós com el conserge.

Hi havia:

La senyora
Conill

La Volta
de la Mort

El senyor Esquirol
Mort Damunt del Cap

El Gnom
Pelut

La senyora Ulls
Desorbitats

El doctor
Pop

El senyor Sabates
de Pallasso

El Dinosaure

La senyoreta
Nàpia

El professor
Ensaïmada

PIN**G**!

Les portes de l'ascensor es van tancar.

El conserge va somriure a en Tom, però el noi va desviar la mirada. No suportava veure l'home. Quan somreia, semblava encara més repulsiu. Aquelles dents podrides i deformes semblaven capaces de triturar-te els ossos. Els ulls d'en Tom van estudiar la placa d'identificació. A diferència de la infermera i del metge que ja havia conegut, la seva no duia cap

nom, sinó la referència a la feina
de la persona.

Mentre l'ascensor pujava amb
lentitud, el món d'en Tom va començar a prendre
forma gradualment.

Feia un dia calorós d'estiu i havia estat jugant al
criquet al camp de l'escola. El noi va alçar lleument
el cap i va mirar cap avall. Efectivament, encara duia
l'equipament blanc de criquet.

Per bé que l'escola sempre presumia de ser de les
millors del país en criquet i rugbi, en Tom no era gai-
re bo en cap d'aquests dos esports. L'escola premiava
els herois esportius amb tota classe de copes, trofeus,
medalles i mencions especials lliurades pel director
durant l'assemblea. Un noi com en Tom, que s'esti-
mava més amagar-se en un racó de la biblioteca de
l'escola envoltat d'una pila de llibres plens de pols,
tenia moltes possibilitats de sentir-se desplaçat.

A l'escola, en Tom se sentia desgraciat i passava
l'estona fent volar la imaginació. «Tant de bo els dies i
les nits passessin més de pressa», acostumava a pensar
per a si mateix. El noi només tenia dotze anys, però
anhelava deixar enrere per sempre la infantesa. Quan
fos adult, ja no hauria de continuar anant a l'escola.

Els alumnes jugaven al criquet a l'estiu, i en Tom va

descobrir de seguida quin era el paper més adequat per a una persona tan poc esportista com ell... el joc defensiu. Es col·locava sempre a la punta més allunyada del camp. Tan allunyada que podia dedicar-se al seu passatemps favorit: somniar despert. Tan allunyada que podia passar-se la tarda somniant. Tan allunyada que hi havia molt poques possibilitat o cap que la pesada pilota de cuir vermella anés cap a ell.

Bé, això és el que pensava en Tom.

Aquella vegada va anar errat.

Molt errat.

A mesura que els números dels pisos s'anaven succeint a la pantalla de l'ascensor, l'última cosa que en Tom recordava li va passar pel cap com si fos un flaix.

Una pesada pilota de cuir vermella havia volat pels aires directament cap a ell a una velocitat esgarrifosa.

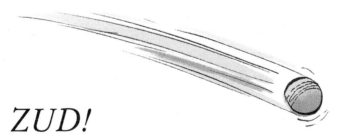

ZUD!

Aleshores tot es va tornar fosc.

P*IN*G!

—Aquesta és la seva parada, jove senyor! El pis de dalt de tot! La seu de la sala de pediatria de **L'HOS-PITAL LORD FUNT**! —va barbotejar el conserge.

Quan es van obrir les portes de l'ascensor, l'home va empènyer la llitera. Van recórrer un altre passadís llarg fins a arribar a un parell de portes altes que es van obrir violentament.

La parella havia entrat a la sala de pediatria.

—Benvingut a la seva nova llar —va dir el conserge.

CAPÍTOL 4

LA SALA
DE PEDIATRIA

En Tom va alçar una mica el cap inflat per donar una primera ullada a la que havia de ser la seva nova llar, la sala de pediatria de **L'HOSPITAL LORD FUNT**. Hi havia quatre nens a la gran sala. Estaven incorporats o estirats als seus llits. Tots en silenci, i cap d'ells no va parar gaire atenció a aquell nen nou. Es respirava una sensació d'avorriment en l'aire quiet i recarregat. S'assemblava més a una residència d'ancians que no pas a una sala infantil.

En el llit més proper a la porta hi havia un noi grassonet amb un pijama de llunes que li anava petit. Fullejava un llibre molt gastat sobre helicòpters i rosegava dissimuladament unes xocolatines que amagava sota el llençol. En una pissarra damunt del llit havien escrit amb guix el nom del nen:

George.

Al seu costat hi havia un nen petit i prim, amb els
cabells de color panotxa ben pentinats. Li devien ha-
ver operat els ulls, perquè els duia tapats amb unes
benes. De fet, estaven tan tapats que era impossible

que pogués veure-hi res. Sobre la tauleta de nit hi havia un pila molt alta de CD de música clàssica i un reproductor de CD. El pijama d'aquest nen era molt més elegant que el d'en George, i el duia cordat fins a dalt de tot. Damunt la capçalera del llit, escrit amb guix, hi posava el seu nom: **Robin**.

A l'altre costat de la sala hi havia una nena amb els cabells negres i unes ulleres rodones. Era molt sorprenent perquè tenia les dues cames i els dos braços enguixats. Tots quatre membres eren sostinguts enlaire per una complexa sèrie de politges i cabrestants. Semblava un titella penjat d'uns cordills. A la seva pissarra hi deia **Amber**.

Finalment, a l'extrem més allunyat de la sala, separada dels altres nens, en Tom va albirar una figura llastimosa. Era una nena, però costava endevinar-ne l'edat, perquè semblava que la malaltia l'hagués afeblit. Uns flocs solitaris de cabells li sortien del cap. Damunt de la capçalera del llit hi havia escrit el nom de **Sally**.

—Digui hola a tothom, jove senyor —el va animar el conserge.

En Tom tenia vergonya i va murmurar un «hola» tan baix com va poder, però sense que li haguessin de fer repetir.

Hi va haver un vague murmuri de salutacions de tots els nens com a resposta, per bé que la Sally va romandre en silenci.

—Aquest deu ser el seu llit —va barbotejar el conserge tot acostant-hi la llitera. Com un expert, va fer passar el noi de la llitera al llit.

—Està còmode? —va preguntar el conserge mentre li posava bé el coixí.

En Tom no va respondre. No ho estava gens, de còmode. Allò era com jeure sobre un bloc de ciment, amb un totxo per coixí. Fins i tot la llitera ho era més, de còmoda. Era estúpid que en Tom fes veure que no havia sentit el conserge, perquè l'home era just al seu costat. De fet, era tan a prop que el noi sentia la seva olor. En realitat, el noi estava segur que tota la sala sentia aquella olor. Feia força pudor, com si fes molt temps que no es rentés. La roba que portava era gastada i vella. Les sabates estaven destrossades i la granota de treball estava coberta de greix i ronya. Semblava un sensesostre.

—O sigui que aquest és el pitjor jugador de criquet del món? —va dir una veu.

Els nens es van posar tensos i van **tremolar** en sentir-la.

De sobte, una dona prima va sortir d'un despatx a l'extrem més allunyat de la sala. Era la matrona, la cap d'infermeres, responsable de l'àrea de pediatria. Lentament i amb seguretat va avançar per la filera de llits en direcció a en Tom, amb els talons alts de les sabates repicant contra el terra.

De lluny, la matrona semblava una dona atractiva. Duia els cabells rossos perfectament lacats, el rostre brillant de maquillatge i les dents eren d'una blancor resplendent. Tanmateix, quan es va acostar més a en Tom, el noi es va adonar que el somriure era fals. Els ulls eren dos bassals grossos molt negres, una finestra a la foscor del seu interior. El perfum que duia era d'una dolçor tan vomitiva que, quan passava pel costat dels nens, els assecava la gola.

—Les pilotes de criquet s'han d'atrapar! No donar-hi un cop de cap! —va dir la dona—. Quin nen tan estúpid! **HA, HA, HA!**

A part d'ella, ningú no va riure del comentari. Certament, a en Tom, a qui el cap encara palpitava de dolor, no li havia fet gens de gràcia.

—Aquesta pilota de criquet li ha fet sortir un nyanyo prou important, senyora matrona —va explicar el conserge. Li tremolava una mica la veu, com si estigués nerviós davant la presència de la dona—. Crec que el jove senyor s'hauria de fer una radiografia a primera hora del matí.

—No necessito la seva opinió, gràcies! —li va etzibar la matrona. De sobte, el seu rostre ja no semblava gens atractiu, s'havia retorçat en un rugit—. No és més que un modest conserge, el més modest entre els modestos. No té la més petita idea de cuidar els pacients. D'ara endavant, tingui la boca tancada!

El conserge va abaixar el cap, i els altres nens van intercanviar mirades nervioses. Era clar que a ells la dona també els intimidava.

Amb un moviment ràpid amb la mà, la matrona va apartar el conserge, que va trontollar una mica per conservar l'equilibri.

—Deixa'm donar una ullada a aquest nyanyo —va dir mentre observava el noi—. Mmm, sí, és un nyanyo important. T'hauries de fer una radiografia a primera hora del matí.

El conserge va mirar en Tom i va posar els ulls en blanc, però, una vegada més, el noi, aclaparat, no va reaccionar.

Sense dignar-se a mirar-lo, la dona va ordenar a l'home:

—Conserge, toqui el dos d'aquí abans que m'empudegui tota la sala!

El conserge va sospirar i va adreçar un somriure i una breu salutació amb el cap a tots els nens.

—Afanyi's! —va cridar la dona, i l'home es va

allunyar coixejant tan ràpid com va poder, arrosse-
gant la cama atrofiada darrere seu.

En Tom va començar a tenir ganes de tornar a
l'escola. La sala de pediatria semblava un lloc franca-
ment **horrible**.

CAPÍTOL 5

EL NOI DE LA CAMISA DE DORMIR ROSA AMB FARBALANS

La matrona va encetar un discurs que semblava molt ben assajat. Un discurs que devia haver obsequiat a tots els pacients nous.

—Doncs bé, jovenet, aquesta és la MEVA sala i aquestes són les MEVES regles. Llums apagats a les vuit del vespre. Prohibit parlar després de tancar els llums. Prohibit llegir sota els llençols. Prohibit menjar dolços. Si sento soroll de paperet de caramel en la foscor, el confiscaré a l'acte. Sí, i això t'inclou a tu, George!

El nen grassonet va deixar de mastegar immediatament i va mantenir la boca tancada perquè la matrona no pogués veure que en aquell mateix instant estava menjant xocolatines.

La dona va continuar a bon ritme. Les paraules esclataven com l'espetec d'una fuetada.

—Prohibit sortir del llit. Prohibit anar al lavabo durant la nit; per a això teniu els orinals sota el llit.

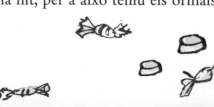

Hi ha un timbre a la paret, a la capçalera del llit. De nit només es truca en cas d'emergència absoluta. M'has entès?

—Sí —va respondre en Tom. Era com si l'esti- guessin renyant abans d'haver fet res dolent.

—Bé. Has portat pijama? —va preguntar la dona.

—No —va respondre en Tom—. Em devien dur aquí de seguida amb l'ambulància quan vaig quedar estabornit al camp de criquet. No vaig tenir temps d'agafar res, per això només tinc l'equip de criquet amb el qual he arribat. No m'importa dormir així.

Els llavis de la matrona es van cargolar cap amunt, horroritzats.

—Nen repulsiu! Ets tan abjecte com aquell pro- jecte d'ésser humà, el conserge. Fa olor de dormir vestit. Ha, ha! Podem trucar als teus pares per-què et portin un pijama?

En Tom va negar amb el cap amb tristesa.

—Per què no?

—La meva mare i el meu pare viuen a l'estranger.

—On?

El noi va dubtar abans de respondre.

—No n'estic segur.

—No n'estàs segur?! —va bramar la matrona en veu alta, perquè tothom ho pogués sentir. Semblava que volgués que tots els nens de la sala gaudissin tant com ella de la humiliació del nen nou.

—Es traslladen sovint, a causa de la feina del meu pare. Sé que són en algun lloc del desert.

—Home, ara ja estàs afinant una mica més! —va rugir ella amb sarcasme—. Ni tan sols saps en quin país viuen els teus pares! Bé, doncs aquí et sentiràs com a casa. Per una raó o altra, els nens d'aquesta sala no reben mai la visita dels seus pares. O bé són massa pobres per viatjar, com els de l'Amber, o estan massa malalts, com els d'en Robin, o viuen massa lluny, com els de la Sally. Però la millor raó la té en George. T'importaria explicar per què els teus pares no vénen mai a visitar-te, George?

—Nah —va murmurar el noi, amb accent de barriada. Era un accent que va sorprendre en Tom, perquè a l'internat ningú no parlava d'aquella manera. El pobre noi semblava desesperadament avergonyit—. No...

—El pare d'en George és a la presó! Per robatori, ni més ni menys! De manera que, si desapareix alguna cosa a la sala, ja sabrem a qui culpar! Els testos s'assemblen a les olles! Ha, ha, ha!

—Jo no sóc cap lladre! —va cridar en George.

—No cal ser tan sensible, nen. Només era una brometa!

—Doncs no fa gens de gràcia! —va respondre ell.

—Oooh! —va afegir la dona, burleta—. Tens la pell molt fina! Se m'acut una idea per a tu, Tom. Aniré al calaix d'objectes perduts a buscar alguna cosa per posar-te.

Amb els ulls resplendents, la matrona va fer girar els talons i va desaparèixer dins del despatx. Al cap d'uns moments, en va sortir amb les mans rere l'esquena i un somriure sospitós al rostre.

—Em sap molt greu, Tom, però no he trobat cap pijama que t'escaigui! —va dir—. De manera que t'hauràs de posar això!

De l'esquena, la matrona va treure una camisa de

dormir rosa amb farbalans. El somriure **cofoi** es va tornar encara **més cofoi**.

Horroritzat, en Tom va esguardar la camisa de dormir rosa amb farbalans. Si els nens de l'internat s'assabentessin algun dia que s'havia posat allò, mai no podria superar-ho. De fet, seria conegut eternament com el NOI DE LA CAMISA DE DORMIR ROSA AMB FARBALANS.

—Si us plau, deixi'm dormir amb el meu equip de criquet, matrona —va suplicar en Tom.

—He dit que no! —va etzibar la matrona.

—Jo et puc deixar un pijama —va dir en George.

—No siguis ridícul, nen! —va replicar la dona ràpidament—. Mira la talla que gastes, carallot! Li aniria massa gran! El teu pijama aniria gran a un elefant! Ha, ha, ha!

Un cop més, l'única que va riure va ser la matrona.

—Ara posa't això de seguida o em queixaré de tu al director de l'hospital, Sir Quentin Strillers. Això li causaria una impressió força negativa i seria capaç de fotre't al carrer! —va ordenar la dona mentre corria les cortines al voltant del llit del noi. Ella es va quedar fora, per deixar que en Tom provés de treure's tot sol la roba i es posés la camisa de dormir.

—Afanya't! —va ordenar la matrona.

—Estic acabant! —va cridar en Tom, tot passant-se aquella cosa per damunt del cap—. OK! —va dir finalment, encara que no es va sentir OK en absolut.

Aleshores la matrona va descórrer la cortina i en Tom va quedar al descobert.

El NOI DE LA CAMISA DE DORMIR ROSA AMB FARBALANS era allà, amb tota l'esplendor de la camisa rosa de dormir amb farbalans.

—La veritat és que et queda rebé! —va dir en George.

—Tant de bo ho pogués veure! —va murmurar en Robin.

—No, francament no cal! —va replicar l'Amber.

CAPÍTOL 6 →
MALES INTENCIONS

Al llarg dels anys, a en Tom li havien passat algunes coses humiliants a l'escola.

Per exemple, aquella vegada que...

se li van estripar els pantalons mentre feia gimnàstica...

el fang li va sortir del torn a classe de ceràmica i va anar a picar contra la cara de la mestra de plàstica...

es va ajupir per recollir un llibre de terra i se li va escapar un pet ben sorollós...

va sortir del lavabo amb el rotlle de paper higiènic penjant-li dels pantalons...

va relliscar amb una gota de salsa que hi havia al terra de la cafeteria de l'escola i va caure de cap dins un plat de crema cremada...

va agafar el violí a l'inrevés a classe de música, i es preguntava per què no sonava fins que es va adonar que les cordes miraven cap avall...

els nens més grans li van amagar l'equipament esportiu i va haver de jugar a rugbi en calçotets...

es va haver de posar un mallot molt arrapat, amb una cua enganxada al cul. Feia el paper de gat, cantant i ballant per a una producció del musical *Cats*...

la professora de matemàtiques li va preguntar quant feien 2 + 2, i ell va pensar que era una pregunta trampa, i va respondre 5...

No m'enxamparàs!

el polsim del guix el va fer esternudar, i va cobrir de mocs el rostre del director, el senyor Thews.

I ara es trobava enmig d'aquella sala d'hospital, vestit amb una camisa de dormir rosa de farbalans.

—T'escau com un guant! —va riure la matrona. Una vegada més, va ser l'única que ho va fer. Després va comprovar el rellotge, que duia subjectat a l'uniforme—. Les vuit i un minut. Ja ha passat de sobres l'hora d'anar a dormir! Molt bé, nens. **Apagueu els llums!**

La matrona va començar a avançar en direcció al despatx, a l'altra punta de la sala.

Com si tots juguessin a fet a amagar, després de fer uns quants passos es va girar ràpidament per veure si algun nen s'havia bellugat. Després ho va tornar a fer un altre cop. I un altre cop. La matrona va donar una darrera ullada a tots els nens un per un abans de tancar els llums.

CLIC!

La sala va quedar a les fosques. En Tom detestava la foscor. Per sort, arribava una mica de llum des del rellotge gegant de les Cases del Parlament, no gaire lluny de l'hospital, per damunt de les teulades de Londres. La gent anomenava «Big Ben» la torre del rellotge, per l'enorme campana que hi havia dins i que marcava les hores.

BONG! La llum del rellotge resplendia de manera sinistra a través de les finestres altes.

També hi havia una petita làmpada d'escriptori al despatx de la matrona. La dona seia darrere el vidre, contemplant la penombra. Estudiava els llits de la sala de pediatria, atenta a qualsevol moviment. Silenci.

Aleshores, enmig d'aquell silenci, en Tom va sentir un soroll. Era el so d'una llauna que s'obria.

Després el va seguir el so d'un paper que cruixia. Però no era un paper qualsevol. Sonava com els papers de plata cruixents que emboliquen els caramels. Aleshores en Tom va sentir el so d'algú que mastegava.

En Tom no havia menjat res des de l'hora de dinar, i gairebé no havia tocat el dinar perquè el menjar de l'escola era fastigós. Avui els havien servit fetge i remolatxa bullida, i ruibarbre al vapor de segon. Ajagut al llit de l'hospital, en Tom va notar una remor a la panxa. Quan va sentir que desembolicaven un altre caramel, i un altre, ja no es va poder estar de dir en veu baixa, en la foscor:

—Si us plau, me'n doneu un?

—*Xxxt!* —va fer una veu. En Tom estava gairebé segur que venia del llit d'en George.

—Si us plau! —va xiuxiuejar en Tom—. Fa segles que no menjo res.

—*Xxxt!* —va fer una altra veu—. Si parles una mica més fort, tindrem problemes.

—Només en vull un! —va demanar en Tom.

El noi devia dir-ho massa fort, perquè en aquell instant...

CLIC!

... els llums de la sala de pediatria es van tornar a encendre.

Enlluernat per la resplendor, en Tom va poder distingir la matrona que sortia apressadament del despatx.

—PROHIBIT PARLAR DESPRÉS QUE S'APAGUIN ELS LLUMS! —va cridar—. Molt bé. Qui ha parlat?

Tots els nens van romandre en silenci.

—Digueu-me qui ha parlat o tindreu problemes molt i molt greus!

Va estudiar la sala buscant-hi algú que estigués a punt d'ensorrar-se per la pressió. Va mirar en George, que tenia aspecte de culpable.

—Has estat tu, George? —va exigir.

En George va negar amb el cap.

—Parla, noi!

Fins i tot des de l'altra banda de l'habitació, en Tom va endevinar que en George tenia la boca plena.

En George va provar de parlar, però tenia la boca tan atapeïda de xocolata que no podia pronunciar cap paraula.

—Mmm, mmm, mmm —va murmurar.

—Què hi tens, a la boca?

En George va moure el cap i va intentar dir «no res», però només li va sortir:

—Mmm, mmm, mmm.

La matrona es va acostar al seu llit com un cocodril que assetja la presa.

—George! Havies de seguir una dieta estricta després de l'operació. Però ja tornes a endrapar xocolatines, oi?

En George va fer que no amb el cap.

La dona li va enretirar els llençols i va deixar al descobert un gran capsa de bombons. Era enorme. D'aquelles que a una família li regalen per Nadal i dura fins al Nadal següent.

—Porc avariciós! —va exclamar la matrona—. Aquesta capsa queda confiscada!

Dit això, li va arrabassar la capsa de les mans i va treure un mocador de paper d'un paquet que hi havia a la tauleta.

—Ara, escup el que tens a la boca.

A contracor, el noi ho va fer.

—Qui te'ls ha enviat? —va exigir ella—. Sé que no pot haver estat el teu pare. Temo que no hi deixen entrar bombons, a la presó!

En Tom va veure que en George estava enrabiat, però el noi feia el que podia per dissimular-ho.

—Me'ls ha enviat el quiosquer del meu barri —va respondre en George—. Sóc el seu client favorit.

—No m'estranya! Mira que gras estàs!

—És que aquests són els meus bombons preferits.

—Com es diu, aquest home tan estúpid?

—Raj —va respondre en George.

—Raj què més?

—Raj, el quiosquer.

—Em refereixo al cognom, ximplet!

—No ho sé.

—Bé, provaré de seguir-li la pista i amb una mica de sort faré que li tanquin la paradeta. Després de l'operació, tens prohibit menjar xocolata, George.

—Ho sento, matrona.

—Amb «ho sento» no n'hi ha prou! El director de l'hospital, Sir Quentin Strillers, haurà de ser informat d'aquest desacatament de les ordres del doctor, George!

—Sí, matrona —va respondre llastimosament el noi.

—Demà al matí ja m'encarregaré de tu! I ara, a dormir! Tots!

La matrona va retrocedir cap al despatx. Una vegada més va voler repetir el joc de fet a amagar, i va girar cua diverses vegades per comprovar que els nens estaven quiets com estàtues.

CLIC!

Els llums es van tornar a apagar, i la matrona va seure al despatx. Al cap d'un instant, la dona va fer una cosa increïble. Va obrir la capsa de bombons i va començar a endrapar-ne!

Aparentment, a la matrona li agradaven sobretot els més grossos i embolicats amb un paper de color morat, perquè se'ls va empassar a gran velocitat. Tan aviat com se'n ficava un a la boca, ja desembolicava el següent per cruspir-se'l. Va passar el temps, i com més en menjava, més son li agafava. Cap a les nou, les parpelles li flaquejaven. Tot i així, en va continuar menjant i menjant i menjant. Potser esperava que el sucre dels bombons la mantindria desperta. Estranyament, semblava que tinguessin l'efecte oposat. A les deu en punt, els ulls ja se li tancaven durant uns segons seguits. Tot i així va continuar menjant i menjant i menjant. A les onze, intentava desesperadament aguantar-se el cap entre les mans, però cada vegada li pesava més i més i més. El ritme de menjar també es va alentir, i aviat li va començar a sortir de la comissura de la boca un rajolí de bava de xocolata, i el cap va picar contra el pupitre amb un sonor...

ZUD!

A través del vidre se sentien els roncs de la matrona.

—ZZZZzz, ZZZzzz, ZZZzzz, ZZZzzz...

Tots els nens de la sala van romandre en silenci durant un moment. Aleshores, enmig de la foscor, algú va xiuxiuejar:

—Ben fet, George.

—Crec que el pla està funcionant! —va xiuxiuejar en George. L'accent de barriada que tenia li feia ressaltar la veu.

—Quin pla? —va preguntar en Tom.

—Xxxt! —va fer una altra veu.

—Vés-te'n a dormir, noi nou! Deixa de ficar el nas en els afers dels altres! —va dir una veu de nena—. I ara, preparem-nos per a la mitjanit.

Però en Tom no podia anar a dormir, especialment ara que sabia que els nens tenien males intencions. Què passaria a mitjanit?

CAPÍTOL 7
A MITJANIT

La resplendor del rellotge del Big Ben penetrava per la finestra alta que hi havia darrere del llit d'en Tom. De sobte, en Tom va veure unes ombres que ballaven per tota la sala. Diverses figures es bellugaven enmig de la foscor.

En Tom es va espantar i no va poder reprimir un crit.

—Aaah!

Aleshores va notar una mà sobre la boca, que el silenciava.

Això va espantar-lo encara més.

—Xxxt! —va xiuxiuejar algú—. No facis soroll. No volem que la matrona es desperti.

Era una mà suau i carnosa, i feia olor de xocolata. Quan els ulls d'en Tom es van acostumar a la foscor, va confirmar que era en George.

En Tom va dirigir ràpidament la mirada cap al despatx de la matrona. La dona continuava profundament adormida, asseguda a la cadira i amb el cap descansant sobre l'escriptori, roncant.

—ZZZZZz, ZZZZZz, ZZZzzz, ZZZZZz...

—Ni un soroll! —va repetir en George.

En Tom va assentir i lentament va anar enretirant la mà.

Aleshores en Tom va mirar el rellotge gegantí que tenia darrere. Podia veure les teulades de la ciutat de Londres. S'acostava la mitjanit.

De seguida va veure que no era només en George qui havia sortit del llit. En Robin també s'havia llevat i empenyia l'Amber en una cadira de rodes. Era una cadira vella i rovellada, i fins i tot tenia una roda

punxada. Com que duia els ulls embenats, en Robin no podia veure res. Les cames enguixades de l'Amber van picar directament contra la paret.

—AI! —va cridar.

—*Xxxt!* —van dir en Robin i en George a la vegada. En Tom també s'hi va afegir:

—*Xxxt!*

—Deixa'm a mi! —va dir en George. Va apartar en Robin i va ocupar el seu lloc darrere de la cadira de rodes per empènyer l'Amber. En Robin va posar la mà sobre l'espatlla d'en George, i d'aquesta manera, com si ballessin una llastimosa conga, el trio va sortir a bon ritme de la sala.

—On aneu? —va preguntar en Tom.

—*Xxxt!* —van respondre tots tres alhora.

—Voleu fer el favor de no dir-me que calli tota l'estona? —va protestar en Tom.

—Vés-te'n a dormir, nen nou! —va xiuxiuejar l'Amber.

—Però... —va rondinar en Tom.

—No ets de la nostra colla! —va afegir en George.

—Però m'encantaria formar-ne part —va pregar en Tom.

—Doncs no pots, company! —va respondre en George.

—Però no és just! —es va queixar en Tom.

—Si us plau, abaixa el volum, xato! —va etzibar en Robin.

—SÍ, NO FACIS SOROLL! —va dir l'Amber.

—No estic fent soroll! —va respondre en Tom.

—Sí que n'estàs fent! Estàs parlant i això és fer soroll! Cap de nosaltres no ha de fer soroll! —va dir l'Amber.

—Aleshores no en facis tu, de soroll —va dir en Tom.

—Per l'amor de Déu, podeu deixar tots de fer soroll?! —va dir en Robin, una mica massa fort.

Tots els nens van girar el cap en direcció al despatx de la matrona, a l'altra punta de la sala. La matrona va remenar una mica el cos amb aquell rebombori, però no es va despertar. Hi va haver un sospir generalitzat d'alleujament.

—La vella no es despertarà fins d'aquí a un parell d'hores com a mínim —va afirmar en George—. En cadascun dels bombons he posat una d'aquelles boletes somníferes especials que em va donar el doctor Luppers.

—Has fet bé de recordar que els seus preferits eren els morats.

—No calia malgastar tota la capsa de bombons, oi? —va respondre en George amb un somriure entremaliat.

BOLETES
◆ SOMNÍFERES ◆
ESPECIALS

—Sou molt astuts! —va dir en Tom.

—Home, gràcies! —va respondre en Robin, abaixant el cap com si fes una reverència.

—I ara, nen nou —va dir l'Amber—, torna-te'n al llit de seguida. I recorda, tu no has vist res! Som-hi.

Dit això, els tres amics van sortir trotant per la porta doble. En aquell precís instant, les campanes del Big Ben van començar a sonar.

BONG! BONG! BONG! BONG!
BONG! BONG! BONG! BONG!
BONG! BONG! BONG! BONG!

En Tom va escoltar i va comptar. Dotze bongs. Era mitjanit.

El noi estava incorporat al llit. Només hi quedaven la Sally i ell, a la sala de pediatria. Va mirar cap al llit de la nena. Estava dormint, tal com feia des que en Tom havia arribat a la sala feia tot just unes hores.

Malgrat el bony al cap, en Tom estava inquiet. No es volia perdre la diversió per res! Va decidir fer un gran salt endavant cap a un món desconegut i es va proposar seguir-los. En Tom se sentia com un superespia. Però aquesta sensació no va durar gaire. Quan el noi va baixar del llit, el peu esquerre se li va encastar dins l'orinal.

CLANC!

CLANC!

CLANC!

CAPÍTOL 8

UNA PROMESA

CLANC!

CLANC!

CLANC!

En Tom no aconseguia treure el peu de l'orinal. Per la frustració, sentia la necessitat de cridar, però sabia que això encara ho empitjoraria tot més. L'última cosa que volia era despertar la matrona, que continuava roncant al despatx. El noi va esguardar la Sally, al racó més allunyat de la sala. La nena jeia al llit, i un raig de llum procedent del Big Ben li il·luminava la part superior del cap pelat. En Tom tampoc no volia despertar-la.

«Com a mínim, l'orinal no està ple», va pensar.

Tan ràpidament i silenciosament com va poder, en Tom es va ajupir i es va desencastar l'orinal del peu. Llavors va sortir de puntetes de la sala de pediatria. Per desgràcia, els peus descalços xipollejaven sobre el terra brillant.

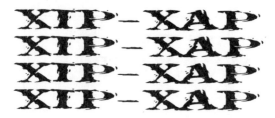

XIP-XAP
XIP-XAP
XIP-XAP
XIP-XAP

Quan va tocar amb els dits les portes batents de l'entrada, va saber que es trobava a pocs segons de la llibertat. Just en aquell moment, una veu va sobresaltar en Tom.

—Ei, nen nou, on vas?

El noi es va girar. Era la Sally.

—En Tom —va mentir.

—No pots anar enlloc; per força has d'anar a algun lloc.

—Si us plau, torna a dormir —va suplicar en Tom—. Despertaràs la matrona.

—És clar que no. Això ho fan cada nit. Aquesta dona desagradable no es despertarà fins d'aquí a unes hores.

—Hi insisteixo, has de descansar.

—Que avorrit!

—No és avorrit —va respondre en Tom—. Vinga, torna a dormir.

—No.

—Què vols dir, «no»?

—Vull dir «no». Vinga, Tom, porta'm amb tu —va dir la Sally.

—No.

—Què vols dir, «no»?

—Vull dir «no».

—Per què? —va protestar la noia.

En Tom s'estimava més que la Sally no l'acompanyés perquè la trobava molt feble. Tenia por que anar amb ella pogués alentir l'expedició. Però no ho volia dir amb aquestes paraules. Podia ferir els seus sentiments. Per això, va preferir dir una altra cosa.

—Mira, Sally, només vull enxampar els altres i dir-los que han de tornar-se'n de seguida al llit.

—Mentider.

—No sóc cap mentider! —va dir ell amb massa èmfasi, cosa que el va fer semblar un mentider.

—Estàs mentint. Mentides, mentides, mentides podrides!

En Tom va negar amb el cap amb massa energia.

—Sé que deus pensar que no podré seguir el teu ritme o alguna cosa semblant —va dir la Sally.

—No!

—Sí. Vinga! Reconeix-ho! No sóc estúpida!

«No», va pensar en Tom, «aquesta nena és llesta. Superllesta.» A l'internat d'en Tom no hi havia nenes, i per això amb prou feines en coneixia cap. En Tom no havia pensat mai que les nenes poguessin ser llestes.

De sobte, va tenir la sensació que aquella nena era perfectament capaç de superar-lo en qualsevol cosa. I aquesta sensació no li agradava.

—No, no és això, de veritat —va mentir. Aleshores, allà plantat, mirant-la, la curiositat el va vèncer.

—Sally, et puc preguntar una cosa?

—Pots preguntar.

—Per què no tens cabells?

—Vaig decidir afaitar-me'ls del tot per semblar un ou passat per aigua —va respondre la Sally, ràpida com un llamp.

En Tom va fer petar la llengua. Era clar que la noia no havia perdut el sentit de l'humor.

—És per la teva malaltia?

—Sí i no.

—No ho entenc.

—En realitat, és el tractament, el que m'ha deixat així.

—El tractament?! —En Tom no s'ho podia creure. Si el tractament et feia això, què devia fer la malaltia?—. Però et posaràs bé, oi?

La noia va arronsar les espatlles.

—No ho sé. —Aleshores va canviar de tema—. Creus que et recuperaràs alguna vegada del nyanyo que et va fer la pilota de criquet quan et va picar al cap?!

En Tom va tornar a fer petar la llengua.

—Espero que no. Si em recupero, hauré de tornar a l'escola.

—Tant de bo jo pogués tornar a l'escola.

—Com?

En Tom no havia sentit mai cap nen que digués una cosa semblant.

—Fa mesos que sóc en aquest lloc. Trobo a faltar la meva escola. Fins i tot els professors horribles.

Tot i que en Tom acabava de conèixer la Sally, tenia la sensació que parlava amb una amiga de tota la vida. Aleshores es va adonar que havia de marxar de seguida si volia atrapar els altres—. He d'anar tirant.

—I de debò que no penses portar-me amb tu?

En Tom va mirar la Sally. Semblava massa malalta per sortir del llit a mitjanit i encara més per embrancar-se en una aventura esbojarrada. En Tom se sentia culpable per deixar-la enrere, però creia que no tenia elecció.

—Potser la propera vegada —va mentir.

La Sally va somriure.

—Mira, Tom, ho entenc. Els altres no m'hi han convidat mai. Vés-hi tu. Però vull que em prometis una cosa.

—Quina?

—Vull que quan tornis m'expliquis l'aventura d'aquesta nit.

—Així ho faré —va dir el noi.

—M'ho promets?

—T'ho prometo.

En Tom va pronunciar aquesta frase mentre mirava la Sally als ulls. No volia decebre la seva nova amiga.

Aleshores va obrir les pesades portes batents.

La llum intensa del passadís va inundar la sala. Just abans que el noi desaparegués del seu camp de visió, la Sally va dir:

—Espero que sigui una aventura grandiosa.

En Tom li va somriure mentre obria les portes i quedava engolit per la llum.

CAPÍTOL 9
«S» DE SOTERRANI

Mentre avançava a grans gambades pel passadís il·luminat de la planta de pediatria, en Tom es va adonar que no tenia ni la més remota idea d'on es dirigia. La seva nova amiga, la Sally, li havia fet perdre una mica de temps, i els altres tres nens s'havien esvanit.

Per acabar-ho d'adobar, L'HOSPITAL LORD FUNT, de nit, era un lloc terrorífic. Uns sons llunyans ressonaven pels llargs passadissos. L'edifici era enorme. Eren quaranta-quatre plantes plenes de sales i quiròfans. Hi havia sales de part on els nadons naixien i un dipòsit de cadàvers on duien la gent quan es moria. L'hospital allotjava centenars de pacients i gairebé la mateixa quantitat de treballadors. A mitjanit tots els pacients havien d'estar dormint, però el personal nocturn, els responsables de la neteja i els guàrdies de seguretat rondaven pels passadissos. Si algú descobria en Tom fora del llit, tindria un problema greu.

A més, duia una camisa de dormir rosa amb farbalans. Si algú el veia, hauria de donar moltes explicacions.

En Tom va estudiar els rètols explicatius de la paret, que no servien de gaire perquè moltes lletres n'havien caigut.

ENTRADA & SORTIDA s'havia convertit en **D DA.**

ACCIDENTS & URGÈNCIES era **CIDE R.**

RECEPCIÓ era simplement **P Ó.**

CIRURGIA s'havia transformat en **CI RG.**

RADIOLOGIA s'havia tornat **RAD LOG**, fos el que fos.

ADMINISTRACIÓ ara era **MIN T.**

TEATRE era **EATR.**

SALA DE PEDIATRIA era simplement **DIAT.**

REHABILITACIÓ havia canviat a **HAB IT Ó.**

FISIOTERÀPIA s'havia convertit en **S OT ÀPIA**

RAIGS X s'havia convertit simplement en **RAI**, de manera que si estaves buscant un home que es digués Rai, només calia que seguissis la fletxa.

En veure un rètol on posava **NSO S**, en Tom va endevinar que en algun moment llunyà del passat de l'hospital devia haver estat **ASCENSORS**, i va decidir seguir la fletxa.

Quan va arribar al replà dels ascensors, en Tom va veure que la fletxa que hi havia sobre les grans portes metàl·liques lluents baixava a tota velocitat. Va pensar que potser eren els tres nens que es dirigien als pisos inferiors. Llavors va observar que la fletxa no s'aturava i continuava baixant fins a la «S» de soterrani.

En Tom va empassar-se la saliva. Era probable que el soterrani fos un lloc ben fosc. I ell odiava la foscor. A més, sempre hi havia la possibilitat d'ensopegar amb el conserge. Què passaria si de sobte notava una mà a l'espatlla que intentava aturar-lo i, en girar-se, trobava el rostre deforme d'aquell home d'aspecte terrorífic?

Durant un moment, en Tom va sentir l'impuls natural de girar cua, però aleshores va pensar que la Sally el titllaria de covard. Així que, amb alguns dubtes, va pitjar el botó i va esperar tot nerviós que arribés l'ascensor.

PING!

Les portes es van obrir.

PING!

Les portes es van tancar.

Amb el dit tremolós, en Tom va pitjar la «S» de soterrani, i l'ascensor va baixar fins a les profunditats més fosques de l'hospital.

Amb una sacsejada, l'aparell es va aturar.

PiNG!

Les portes es van obrir i en Tom va sortir a la foscor.

Ara el noi era tot sol al soterrani de **L'HOSPITAL LORD FUNT**. Els peus descalços trepitjaven el terra de ciment, fred i moll. Al sostre hi havia una filera de tubs fluorescents, tot i que la majoria estaven fosos, cosa que feia que la negror fos encara més absoluta.

PiNG!

En Tom va fer un bot. Eren les portes de l'ascensor que es tancaven darrere seu.

El so de l'aigua que degotava

per les canonades va ressonar pel passadís estret que el precedia.

Lentament, en Tom va començar a avançar. En arribar al final, va veure quatre passadissos, dos a l'esquerra i dos a la dreta. S'enfrontava a un dilema. Va provar de veure si trobava alguna marca de cadira de rodes a terra. Amb tan poca llum, era difícil veure-hi gota, de manera que en Tom es va ajupir per estudiar el terra. En aquell moment, alguna bestiola li va passar arran de la cara.

—Aaarrrggghhh!

El crit va ressonar pel passadís. D'entrada, en Tom va pensar que podia haver estat una rata, però llavors va veure una criatura que saltava cap amunt. Semblava més aviat un ocell, però en aquest cas, què hi feia, allà baix?

Dibuixades a terra, enmig de la brutícia, en Tom va veure unes marques de roda que assenyalaven un dels passadissos de la dreta i va decidir seguir-les.

Després de fer unes quantes passes, va notar que l'aire ranci del soterrani s'escalfava. Davant seu hi havia una caldera gegant on es cremaven tots els residus de l'hospital. No gaire lluny d'allà, en Tom va veure un cistell enorme sobre rodes. Va mirar-hi a dins. Estava ple de roba bruta. Damunt del cistell, a la paret, hi havia una petita obertura. Just en aquell moment, una altra tongada de llençols va sortir per la trapa i va caure al cistell de la roba bruta. El noi va deduir que aquell era el final d'un conducte que devia dur a les sales de dalt.

A cada passa que feia, trobava més portes i passadissos. En Tom va seguir el rastre de les rodes, que serpentejava per tot el soterrani.

El rastre conduïa a un passadís completament fosc.

«Tots els llums d'aquesta secció del soterrani deuen estar fosos», va deduir en Tom.

El noi va dubtar abans de continuar endavant. El que li feia més por era la foscor. En qualsevol cas, tornar enrere semblava estúpid. Potser estava a punt de trobar els altres nens i d'esbrinar quina era la seva aventura secreta de mitjanit. Lentament, de puntetes, en Tom va continuar avançant. Aviat va ser tan fosc que ja no podia veure la pròpia mà davant del seu rostre. Ara havia de temptejar les parets humides per tirar endavant. Però aleshores...

CLANG!

...un soroll eixordador va ressonar pels passadissos del soterrani. Sonava com si algú hagués tancat una porta pesada de metall. En Tom es preguntava qui més podia ser allà baix. Potser era el conserge?

Petrificat de por, el noi es va quedar immòbil. Va escoltar. I va escoltar encara més. L'única cosa que sentia era el silenci. L'envaïa un terror profund. Tot i que estava quiet, tenia la sensació d'estar corrent, caient o ofegant-se.

En Tom començava a pensar que la decisió de baixar tot sol al soterrani havia estat una equivocació molt greu. Havia de sortir d'allà. De seguida. Va tornar sobre les seves passes, però, totalment col·lapsat pel pànic, va perdre l'orientació. No va trigar a posar-se a córrer descalç pels passadissos, sense rumb i amb la camisa de dormir rosa amb farbalans onejant darrere seu.

Sense respiració, marejat encara

pel cop de la pilota de criquet, en Tom es va aturar un instant. Aleshores va notar alguna cosa que l'engrapava per l'espatlla. Es va girar. Era una mà.

—Aaarrrggghhh! —va cridar.

CAPÍTOL 10

RULETA RUSSA AMB EXCREMENTS DE CONILL

—Què hi fas aquí? —va dir una veu poc amistosa. Era en George. Al seu costat hi havia l'Amber i en Robin. En Tom es va girar i l'Amber i en George es van posar a riure immediatament.

—Ha, ha, ha!

En un tres i no res, tots dos s'estaven partint.

—Què us fa tanta gràcia? —va preguntar en Robin—. Va, digueu-m'ho!

—Sí, què és tan hilarant? —va voler saber en Tom. Tenia la vaga impressió que es burlaven d'ell.

—És per la camisa de dormir rosa amb farbalans! Ha, ha, ha! —va riure l'Amber.

—No és meva! —va protestar en Tom.

—Ah, ja ho veig —va dir en Robin—. Bé, no veig res —va afegir, tocant-se les benes que li cobrien els ulls—, però ja m'enteneu.

—Robin, si el poguessis veure, et moriries de riure —va afegir en George.

—De quants farbalans estem parlant, exactament? —va preguntar en Robin.

—Bé... —va començar l'Amber—. N'hi ha diverses capes, com si fos un pastís de noces.

En Robin es devia crear una imatge al cap, perquè es va posar a riure només de pensar-ho.

—Ostres! Ha, ha!

—Calleu! Tots tres! —va cridar en Tom, enrabiat.

—Sí, nois, prou de riure! —va dir l'Amber, tot i que ella era la que havia rigut més fort.

—Mira, Tom —va dir en George—. T'hem fet una pregunta. Què hi fas aquí?

—Us estava seguint —va respondre en Tom—. Què hi feu vosaltres aquí?

—No t'ho pensem pas dir! —va respondre l'Amber—. I ara torna-te'n cap al llit, petit babau molest!

—No. No ho faré! —va respondre en Tom.

—Torna-te'n al llit! —va afegir en George.

—NO! —va exclamar en Tom, desafiant—. No ho faré!

—Et clavaria una bufetada si pogués veure on ets —es va enfurismar en Robin—. És el teu dia de sort!

—Us delataré a tots si no em deixeu venir! —va dir en Tom.

Confosos, els altres tres es van quedar en silenci.

A l'internat d'en Tom, delatar els companys estava molt mal vist. Malgrat l'ambient de brutalitat que es respirava a St. Willet's, delatar altres nois als professors estava prohibit, encara que t'haguessin...

posat llaminadures a les sabates...

llançat els deures al vàter...

enterrat tots els calçotets...

 tancat al teu armariet...

posat una aranya enorme i peluda
entre els llençols...

obligat a menjar un mitjó de rugbi brut amb uns
quants encenalls de formatge pel damunt...

pintat el nas de blau mentre dormies...

lligat els cordons de les sabates a un arbre i t'hi haguessin penjat de cap per avall...

posat pega a la raqueta de tennis perquè se't quedés enganxada a la mà per sempre...

barrejat una pila d'excrements de conill amb boletes de xocolata de la botiga de llaminadures i després t'haguessin obligat a menjar-te-les totes en una mena de joc pervers de ruleta russa amb excrements de conill...

Per això a en Tom no li agradava delatar ningú, ni tan sols amenaçar de fer-ho, però en aquell moment no veia cap altra sortida.

—Val més que em deixeu venir o cridaré i udolaré i despertaré tot l'hospital ara mateix! —va dir en Tom.

—Dubto que et senti ningú, aquí sota —va remarcar en Robin.

Tenia tota la raó.

—Molt bé, doncs. Agafaré l'ascensor, pujaré a la planta principal i cridaré i udolaré i despertaré tot l'hospital d'aquí a un parell de minuts.

L'amenaça no tenia la mateixa força, però afortunadament va funcionar. Els altres tres van començar a parlar.

—No pots venir. Perquè el lloc on anem és molt secret —va dir l'Amber.

—Secret? —va preguntar en Tom.

—Tenim una colla secreta —va dir en Robin.

—Sobretot, no li digueu que ens diem els Amics de Mitjanit! —va dir en George.

—Els Amics de Mitjanit! —va exclamar en Tom.

CAPÍTOL 11

PUP! PUP!
I DOBLE PUP!

—Què vols dir, que no li diguem que ens diem els Amics de Mitjanit? —va exigir l'Amber.

La noia va posar els ulls en blanc i en Robin va sospirar.

—Quin nom més fantàstic! M'encanta! I ara, si us plau, deixeu que m'hi afegeixi —va demanar en Tom.

—No! —va dir en George—. «N» «O» vol dir no!

—Em pots explicar per què no, doncs? —va protestar en Tom. El noi es moria de ganes de formar part dels Amics de Mitjanit, tot i que no tenia la més remota idea de què eren els Amics de Mitjanit, perquè era un secret. Hi podia haver res més emocionant que una colla secreta? El que aquesta colla secreta fes era el de menys. L'únic que importava era que fos secreta. No solament secreta, sinó molt secreta!

La pregunta d'en Tom va ser acollida amb silenci, perquè cap dels altres tres no sabia què contestar.

—Perquè és una colla secreta —va respondre per fi l'Amber—. I ja fa anys que ho és, de secreta.

—Però ara ja la conec —va dir en Tom—. La formeu vosaltres tres i es diu els Amics de Mitjanit!

—Caca! Caca de vaca! Cagarada de bou que si no neva, plou! —va dir en Robin.

—Ens ha ben clissat! —va afegir en George.

En Tom va somriure satisfet.

—No és veritat —va dir l'Amber—. Aquesta colla va molt més enllà. És tan antiga com l'hospital.

—Què vols dir? —va preguntar en Tom.

—Va començar fa cinquanta anys. Potser més i tot —va respondre la noia.

—Qui la va començar? —va preguntar en Tom.

—No t'ho puc dir! —va dir l'Amber.

—Aixafaguitarres! —va replicar en Tom.

—L'Amber no t'ho pot dir perquè no ho sap —va remarcar en George.

—Moltes gràcies, George! —va dir l'Amber amb sarcasme.

—No es mereixen —va respondre en George sense detectar el sarcasme.

—Ningú no sap com van començar els Amics de

Mitjanit —va dir en Robin—. L'únic que sabem és que la va fundar un nen d'aquest hospital. I que des d'aleshores ha anat passant d'un pacient a l'altre.

Els Amics de Mitjanit van pasar pr quí

—Aleshores, per què no m'hi puc afegir? —va dir en Tom.

—Perquè no s'hi pot afegir qualsevol —va dir l'Amber—. La colla dels Amics de Mitjanit només pot sobreviure si és secreta. Si algú ho xerrés, en seria el final. Encara no sabem si podem confiar en tu.

—És clar que podeu! Us ho prometo! —va suplicar en Tom.

—Molt bé, Tom, escolta! —va sospirar l'Amber—. Pots venir amb nosaltres, però només aquesta nit. No significa que siguis membre dels Amics de Mitjanit. Ja veurem com te'n surts. Aquesta nit és un període estrictament de prova. Si passes l'examen, t'admetrem. Ho has entès?

—Sí —va respondre en Tom—. Sí que ho he entès. I ara, som-hi, Amics de Mitjanit. Anem a l'aventura. Seguiu-me!

Dit això, el noi va sortir disparat pel passadís.

Els altres tres es van quedar al lloc, brandant el cap.

—Ehem, disculpa —va dir en Robin.

—Què? —va respondre en Tom, girant cua.

—No saps on vas.

—Ah, és veritat. Ho sento.

—El període de prova no podia començar pitjor —va observar l'Amber. I com que no podia moure els braços, va assenyalar la direcció amb un moviment de cap—. Per aquí, colla! Seguiu-me!

CAPÍTOL 12

SEGUEIX LA LÍDER

Com que tenia els braços i les cames enguixades, l'Amber es trobava força incapacitada. Si hagués caigut de la cadira de rodes, li hauria costat aixecar-se. El més probable és que hagués quedat panxa enlaire, amb els braços i les cames amunt com un escarabat. No obstant això, per pura força de voluntat, l'Amber era de totes totes la líder dels Amics de Mitjanit. Aquella nit, al soterrani de l'hospital, bordava ordres a en George, a en Robin i al membre més recent de la colla, en Tom.

—Endavant! Gireu a la dreta! A la dreta un altre cop! Un altre cop a l'esquerra al final del passadís!

En George era l'encarregat d'empènyer la cadira de rodes de l'Amber, després que en Robin hagués estampat la nena contra una infinitat de parets. Hi havia sospites que en Robin ho havia fet expressament, per estalviar-se haver d'empènyer. Ara el pobre George estava amarat de suor i panteixava com un gos. Empènyer la cadira de rodes era una tasca àrdua perquè tenia una roda punxada.

—Vols provar-ho tu, Tom? —va proposar en George, mentre intentava mantenir en línia recta l'artefacte vell i rovellat.

—No, gràcies.

—Empènyer la cadira de rodes és molt divertit, oi que sí, Robin? —va dir en George.

—Oh, i tant, George, és un veritable regal —va dir en Robin, sense gaire convenciment.

—Mira, Tom —va començar en George—, si és veritat que et vols unir a la colla, si vols que el període de prova sigui tot un èxit, cal que empenyis la cadira de rodes de l'Amber, com a mínim una miqueta.

En Tom va sospirar. El noi era conscient que l'estaven engalipant, però no hi podia fer més.

—D'acord, d'acord, ho faré!

—**Sí!** —va exclamar en George, donant un cop a l'aire per celebrar-ho.

—Us hauríeu de barallar per l'honor d'empènyer la vostra líder —va remarcar l'Amber.

—Qui ho ha dit, que tu ets la líder? —va preguntar en Robin.

—Jo! —va respondre l'Amber—. Vinga, Tom, no podem perdre més temps!

A contracor, el noi va engrapar els mànecs i es va posar a empènyer la cadira. L'Amber pesava més del que s'havia pensat, i era difícil fer-la avançar.

—Més de pressa! Més de pressa! —va ordenar ella.

—On anem? —va preguntar en Tom.

—Tom, com he dit fa un moment, et trobes en període de prova per ingressar a la colla —va dir l'Amber—. El lloc on anem només el coneixem els que necessitem tenir la informació, i tu no necessites tenir-la. Gira a la dreta!

Obedient, en Tom va empènyer la cadira de rodes

cap a la dreta i va conduir l'Amber fins a arribar a un cul de sac.

—ALTO! —va exclamar l'Amber—. T'has equivocat de camí!

—He fet exactament el que m'havia demanat, senyoreta —va respondre en Tom—. Vull dir... Amber.

—No, «senyoreta» ja està bé —va dir la nena.

—He de descansar una estona —va anunciar en Tom, tot seient a terra. Els altres dos nens el van imitar—. Abans de continuar endavant, necessito que m'expliqueu una cosa.

—Quina? —va exigir l'Amber. La noia no semblava gaire contenta. Era conscient que el noi nou no l'empenyeria ni un mil·límetre més si no li donava algunes respostes.

—Continuo sense entendre per què aquest nen va crear la colla secreta, fa tants anys.

—Per costum, no pots conèixer tots els secrets dels Amics de Mitjanit fins que n'ets un membre de ple dret —va respondre la nena.

—Si us plau, Amber, explica-li-ho —es va queixar en George—. Jo ja no puc empènyer més. Tinc flat.

La nena semblava **indignada** davant d'aquells nois tan patètics.

—Diu la llegenda que aquest nen en particular es

va quedar atrapat a **L'HOSPITAL LORD FUNT** durant anys i panys —va començar l'Amber.

—Per què? —va preguntar en Tom.

—Devia tenir una malaltia molt greu —va respondre l'Amber—. Molt més greu que un simple flat!

Va llançar una mirada assassina a en George abans de continuar.

—El nen estava avorrit. Estar malalt és avorrit. Estar ingressat en un hospital és avorrit. Els nens volien passar-ho bé. Per això, segons diu la llegenda, una nit, a mitjanit, van tenir la idea brillant de crear una colla secreta per a tots els nens de la sala de pediatria.

—Però què feia, aquesta colla secreta? —va preguntar en Tom.

—Ara hi arribo —va respondre l'Amber—, si em deixes parlar sense interrompre'm cada minut!

En la foscor del soterrani, en Tom va notar que en George se'l mirava amb desaprovació. Certament, l'Amber tenia un caràcter molt fort. No hi havia dubte que devia haver posat a lloc en Robin i en George moltes vegades des que havien ingressat a l'hospital.

—Aquest pacient pensava que era una injustícia que tots els nens de fora ho passessin bé mentre ell i la resta de nens de l'hospital no podien ni tan sols sortir del recinte. Què passaria si tots els nens de la sala de pediatria treballaven plegats per fer realitat els seus somnis? Començant cada nit a mitjanit.

—Per què a mitjanit?

—Perquè els adults mai no ho haurien permès. Aquest nen sabia que farien tot el que poguessin per aturar la colla. Per això havien d'entrar en acció només quan tots els adults haguessin anat a dormir. Va passar el temps, i a mesura que aquests nens van anar sortint de l'hospital perquè s'havien curat de les ferides o les malalties, d'altres hi van anar arribant. I si els membres dels Amics de Mitjanit consideraven que algun dels nous pacients era de fiar, totalment de fiar, si estaven segurs al cent per cent que no ho xerraria als metges ni a les infermeres ni als seus pares ni als mestres ni tan sols als seus amics de fora de l'hospital, aleshores, i només aleshores, el convidaven a unir-se a ells.

—Creieu que m'hauríeu convidat a formar-ne part? —va preguntar en Tom.

—Probablement, no —va respondre l'Amber secament.

—Per què no? —va voler saber en Tom, amb l'amor propi ferit.

—La veritat és que sembles una mica fleuma.

—FLEUMA?

—SÍ! FLEUMA. Per favor, tot aquest rebombori per un bony al cap amb una pilota de tennis!

—Era una pilota de criquet! —va protestar en Tom.

—És el mateix —va remarcar en George.

—No és el mateix! —va exclamar en Tom—. Una pilota de criquet pesa moltíssim més!

—Oh, i tant, és clar que sí! —va replicar l'Amber sarcàsticament—. M'imagino que pesa tant que un fleuma tindria problemes per recollir-la de terra!

Els altres dos nois van fer petar la llengua i en Tom es va enfurrunyar. Era conscient que mai no seria un atleta olímpic, però tampoc no havia pensat que la gent el pogués considerar un fleuma.

—Vinga, Tom, no et posis de mal humor! —va dir l'Amber.

—Podríem dir que en realitat els Amics de Mitjanit només és una idea —va mussitar en Robin—. Una idea que ha anat passant de nen a nen.

—Com els polls? —va preguntar en George, sense aportar gaire res a la reflexió.

—Sí, exactament, com els polls, George! —va exclamar en Robin—. Cal reconèixer que ets un geni. La colla dels Amics de Mitjanit és exactament com els polls però sense la picor al cap ni el xampú especial ni les pintes per eliminar els ous ni per descomptat els mateixos polls.

—D'acord, d'acord! —va respondre en George—. No tots podem ser la intel·ligència de la llum. Vull dir, la llum de la intel·ligència!

—Si els Amics de Mitjanit no passa dels uns als altres, algun dia s'extingirà —va continuar l'Amber—. Tots nosaltres hem de tenir present, fins i tot la líder, que no és una cosa que pugui fer una persona sola.

—Sobretot si necessites que algú t'empenyi la cadira de rodes —va remarcar en Robin.

—Els Amics de Mitjanit només podran reeixir si tots els membres treballen plegats —va dir l'Amber.

—Però amb quin objectiu? —va preguntar en Tom.

—Aquí hi ha el quid de la qüestió —va xiuxiuejar l'Amber—. Fer realitat els somnis dels nens!

CAPÍTOL 13

TENIR UNA PENSADA

—Com més gran sigui el somni, millor! —va dir en George.

—Estic parlant! —va dir l'Amber a en George.

—Ho sento —va respondre en George.

—Ho sento «senyoreta» —es va burlar en Robin.

—De manera que ja pots començar a pensar quin és el teu somni, Tom —va dir l'Amber—. Hi ha alguna cosa que sempre hagis desitjat?

—Voldria que el menjar de l'escola no fos tan dolent.

—AVORRIT! —va dir en Robin.

—Bé, doncs... Suposo que m'agradaria que em deixessin faltar als partits de criquet d'ara endavant...

—TEDIÓS!

—Doncs... d'això... Desitjaria no tenir repàs de mates els dimecres a la tarda...

—Si us plau, desperteu-me quan hagi acabat!

—Ho sento! No se m'acut res.

—Vinga, Tom —va dir en George—. Segur que se t'acut alguna cosa. Pensar no és el meu fort, però fins i tot jo he tingut una bona pensada.

Però el fet era que el noi s'havia quedat en blanc.

—Sembla que al final jo tenia raó! —va exclamar l'Amber—. Ho sento, Tom, no tens fusta per pertànyer als Amics de Mitjanit. El període de prova s'ha acabat!

—No! —va protestar en Tom.

—Sí! —va replicar l'Amber.

—Doneu-me una altra oportunitat! Si us plau! Ja se m'acudirà alguna cosa!

—No! —va dir la noia—. No té sentit que pertanyis als Amics de Mitjanit si no et fa il·lusió fer realitat cap somni. Votem! Jo dic que no deixem entrar en Tom a la colla. Nois? Hi esteu d'acord?

—Jo voto que en Tom s'hi pot quedar! —va afirmar en Robin.

—Com? —es va sorprendre l'Amber.

—Sempre que accepti empènyer la cadira de rodes fins a nova ordre.

—Això mateix. Si en Tom empeny la cadira de rodes, s'hi pot quedar! —va coincidir en George.

—Que molestos que sou, vosaltres dos! —va dir l'Amber—. Molt bé, doncs, sembla que al final et quedaràs a la colla. I empenyeràs!

—VISCA! —va exclamar en Tom.

—D'acord! I ara alça't, vinga!

El noi va fer el que li manaven.

—Gira'm. I empeny! DE PRESSA!

El noi va empènyer l'Amber passadís enllà, tan ràpid com va poder.

—MÉS DE PRESSA! —va cridar ella.

CAPÍTOL 14

CAMBRA FRIGORÍFICA

Els quatre nens van recórrer els passadissos del soterrani de **L'HOSPITAL LORD FUNT**. Van passar per davant de la sala de calderes. En Tom hi va donar una ullada mentre feia esforços per empènyer l'Amber en la cadira de rodes. A dins hi havia un dipòsit d'aigua gegant, de la mida d'una piscina. Entrant i sortint del dipòsit hi havia unes enormes canonades de coure que **espetegaven** i *xiulaven*.

A continuació, els nens van passar de llarg un magatzem fosc i humit. Semblava ple de ferralla vella. Al mig com el dijous hi havia un matalàs d'hospital esventrat. La colla va continuar endavant.

Finalment, van veure un rètol que deia CAMBRA FRIGORÍFICA.

—Ja hi hem arribat! —va anunciar l'Amber.

En Tom només duia la camisa de dormir rosa amb farbalans.

—Deus fer broma! —va exclamar.

—Què vols dir? —va respondre l'Amber.

—No podem entrar a la cambra frigorífica! —va protestar en Tom.

Mentre obrien la porta del refrigerador gegant, on hi havia tones de menjar d'hospital emmagatzemades, l'Amber va dir:

—No entrem a cap càmera frigorífica. Anem al Pol Nord!

—El Pol Nord? —va preguntar en Tom. Va esguardar en Robin i en George, però cap dels dos no va reaccionar—. Què vols dir, que anem al Pol Nord?

—El meu somni sempre ha estat ser la primera nena en arribar al Pol Nord —va dir l'Amber—. Quan surti de l'hospital, seré una exploradora mundialment famosa. També seré la primera nena que arriba al Pol Sud. Vull fer la volta al món navegant en solitari. Vull escalar la muntanya més alta, bussejar fins al fons del mar. Vull tenir aventures que vagin més enllà dels somnis més extraordinaris!

En Tom l'escoltava en silenci i desitjava poder te-
nir uns somnis tan imponents com aquells. A l'esco-
la sempre havia estat un nen tranquil, fins i tot tímid.
Mai no havia volgut destacar. I ara, quan li demana-
ven que revelés quin era el seu gran somni, s'adona-
va que no en tenia cap. Aleshores, en Tom va pre-
guntar:

—Feies d'exploradora, quan et vas trencar els
braços i les cames?

En George va mirar en Tom com si volgués dir,
«no vagis per aquest camí». L'Amber, mentrestant,
semblava extremament molesta per la pregunta.

—Si ho vols saber —va començar—, va ser un ac-
cident d'alpinisme.

—Bé, això no és estrictament cert, oi? —va dir en
Robin.

La nena semblava cada cop més incòmoda.

—Bé, d'acord, va ser en un entrenament d'alpi-
nisme.

En Tom ho continuava trobant molt impressio-
nant.

—Jo no en diria exactament entrenament d'alpi-
nisme —va dir en Robin.

—Aleshores com en diríeu, llestos? —va etzibar
la nena.

—Jo en diria «caure de la llitera de dalt» —va respondre en Robin amb indiferència.

En Tom va fer un esforç per no riure, però no ho va poder evitar. Va esclafir a riure a cor què vols.

—Ha! Ha! Ha!

—Ha! Ha! Ha! —va riure en George.

Al cap d'uns instants, en Robin, que habitualment era força sec, també es va posar a riure.

—Ha! Ha! Ha!

—SILENCI! Calleu tots! —va cridar l'Amber.

En veure que la nena s'empipava tant, els nens van riure encara més.

—Estic esperant —va dir ella, com si fos una professora.

Per fi les rialles es van apagar i aleshores l'Amber va anunciar:

—Som-hi, ximplets. Penseu que serem els primers nens que arribarem al Pol Nord!

En George va demanar ajuda a en Tom, i entre tots dos van obrir l'enorme porta de metall que donava entrada a la cambra frigorífica.

Una ràfega d'aire àrtic va colpejar el rostre de tots quatre.

Quan l'aire fred va impactar contra l'aire calent,

es va formar una boirina blanca. Al començament, la boira ho va cobrir tot. A poc a poc, però, es va anar esvaint, i per fi els quatre nens van poder gaudir d'una *visió magnífica*.

CAPÍTOL 15

EL POL NORD

Les cares dels nens es van il·luminar quan van veure el Pol Nord.

No era el veritable Pol Nord, és clar, però n'era una recreació increïble. Dins de la cambra frigorífica de l'hospital, el terra havia quedat cobert per diversos centímetres de neu. La capa es devia haver format amb totes les làmines de glaç que s'havien acumulat a les capses de filets de peix i les bosses de pèsols congelats. Hi havia dunes de neu, coves glaçades i fins i tot un iglú. Un ventilador clavat al sostre feia volar petits fragments de gel per tota l'habitació. Semblava que nevés. La neu resplendia sota la llum fluorescent del passadís com si fos polsim de diamants.

—Ostres! —va dir en Tom.

—És preciós —va dir l'Amber.

En Tom sempre havia pensat que la nena era la

més dura del grup, però ara va veure com se li acu-
mulaven les llàgrimes als ulls.

—Si us plau, digueu-me què veieu —va demanar
en Robin.

De tan meravellats que estaven, els nens havien

oblidat que, d'ençà de l'operació als ulls, en Robin no s'hi veia. Encara hauria de dur els ulls embenats unes quantes setmanes.

—És... perfecte —va respondre l'Amber.

—En quin sentit? —va preguntar en Robin.

—Robin, hi ha neu per tot arreu —va dir en Tom—. Cau del cel.

—La noto a la cara.

—I hi ha dunes de neu i fins i tot un iglú —li va explicar en Tom—. I no m'ho puc creure! Mira això, Amber!

Recolzada contra la part lateral de l'iglú hi havia una bandera britànica. Estava lligada a un pal de fusta que semblava haver estat arrencat d'un edifici. Potser l'havien arrencat d'aquell mateix edifici, fixa't, de L'HOSPITAL LORD FUNT mateix.

—Deu ser per plantar-la a la neu! —va dir en George—. Com fan els aventurers per demostrar a tothom que realment hi van ser!

—Plantar el què a la neu? —va voler saber en Robin amb entusiasme.

—Una bandera! —va respondre en Tom—. Ho sento, t'ho hauria d'haver dit.

—Passa-me-la! —va ordenar l'Amber.

Amb compte, en Tom li va posar el pal de la bandera a la mà. La nena va provar de clavar-la, però com que tenia els braços enguixats li era impossible.

—No puc! —va dir l'Amber amb una gran frustració.

—Deixa que t'ajudi! —va dir en Tom.

—NO! —li va etzibar ella—. Deixem-ho estar! Això és una ximpleria!

—No és cap ximpleria —va dir en Tom—. Em pensava que havies dit que els Amics de Mitjanit es basaven en la idea que tots els nens de la colla treballessin plegats.

—I és així —va respondre l'Amber irritada.

—Aleshores, deixa que t'ajudi. De fet, t'ajudarem tots. Fem-ho tots junts.

—Bona idea —va dir en George. Va guiar les mans d'en Robin cap al pal i tots junts en van clavar l'extrem a la neu profunda, al bell mig de l'habitació.

—Ara i aquí em declaro a mi mateixa, Amber Florence Harriet Latty, la primera nena que ha arribat al Pol Nord!

—Visca! —van cridar els nois.

—Gràcies, gràcies —va començar l'Amber, amb grandiloqüència—. He de donar les gràcies a unes quantes persones.

—Ja hi som! —va dir en George.

—Això pot ser una mica llarg —va xiuxiuejar en Robin a en Tom.

—A l'Amber li encanta fer discursos.

—Gràcies principalment a mi mateixa, sense qui res de tot això no hauria estat possible.

—Que humil! —va remarcar en Robin.

—Però també voldria aprofitar l'ocasió per agrair l'ajuda dels meus amics i del meu nou amic dels Amics de Mitjanit.

Potser no era el veritable Pol Nord, però l'expressió d'orgull del rostre de la nena era certament real.

En Tom va tornar a examinar el paisatge àrtic en miniatura. Quan la boirina es va dissipar, el noi va veure que el menjar d'hospital que normalment es guardava al frigorífic estava apilat a un costat, i que algú l'havia cobert amb glaç per dissimular-ho. Allò portava a una pregunta important. Qui ho havia fet?

Just en aquell moment, una ombra va sobrevolar la colla. Algú o alguna cosa acabava de travessar el llindar de la porta.

—Què és això? —va preguntar en Tom amb un deix de pànic a la veu.

—Què és el què? —va preguntar en George.

—Hi-hi-hi ha algú allà —va tartamudejar en Tom.

—On? —va preguntar l'Amber.

—A l'altra banda de la porta —va respondre en Tom.

—No era res —va dir l'Amber.

—Si no era res, surt a donar-hi una ullada —va dir en Tom.

Per un instant es va fer el silenci.

—Bé, no crec que pugui sortir a donar-hi una ullada amb la cadira de rodes, no creus? —va respondre l'Amber.

—Jo podria anar-hi, però la qüestió de donar-hi una ullada ja és una altra cosa —va dir en Robin.

Tots els ulls es van girar cap a en George.

—A mi m'encantarà anar-hi, tan aviat com hagi acabat aquest bric de gelat —va dir en George. Tenia gelat de xocolata per tota la cara i va ficar la mà al pot per treure'n una altra cullerada.

Ara tots els ulls es van girar cap a en Tom.

—Jo no hi puc anar! —va exclamar.

—Per què no? —va exigir l'Amber.

El noi es va mirar la camisola rosa amb farbalans.

—Vestit així?

—No és una excusa gaire bona! —va respondre l'Amber—. Les nenes duen camisola. Votem. Tots els que estiguin a favor que en Tom vagi a veure qui és que alcin la mà.

Com era previsible, els altres dos nois van alçar la mà.

—Jo alçaria la meva, si pogués. Aleshores ja està decidit —va dir la nena de manera pomposa—. Ja hi pots anar, Tom.

—Però... —va protestar ell.

—Vols ser declarat membre permanent dels Amics de Mitjanit o no? —va preguntar l'Amber, tot i que ja coneixia la resposta.

—Sí, p-p-però...

—Aleshores vés-hi ara mateix! —va ordenar—. De seguida!

El glaç de sota els peus s'estava tornant cada cop més relliscós, i amb cada pas que feia, en Tom estava a punt de perdre l'equilibri. Amb grans dificultats va arribar a la porta de la sala frigorífica. En Tom va mirar enfora, a mà dreta. No hi va veure res. Aleshores va mirar a l'esquerra. Entre les ombres va veure venir alguna cosa... la figura inconfusible d'un... ós polar.

—Grrr! —va grunyir l'ós.

Arrrgggghhh!

—va cridar el nen.

CAPÍTOL 16
ÓS POLAR

No era un ós polar de veritat. Era un home disfressat d'ós polar. I tampoc no era la millor disfressa d'ós polar del món.

Estava feta d'un cotó fluix que semblava manllevat de l'hospital. Hi havien foradat dos orificis perquè coincidissin amb els ulls, les orelles estaven fetes amb esponges i el nas era l'extrem d'un estetoscopi. Les urpes eren ganxos de cortina, i els ullals eren simplement trossos doblegats de cartró blanc d'unes quantes capses de medicaments.

Quan va veure de més a prop aquell «ós polar», en Tom ja no va tenir tanta por. Sabia que era una persona disfressada.

Aleshores la persona que hi havia dins es va treure la caputxa.

Era el conserge.

HOME AMB DISFRESSA D'ÓS POLAR

Dos forats per als ulls

Orelles fetes d'esponges

Cotó fluix manllevat de l'hospital

Ias fet nb la punta 'un estetoscopi

Ullals fets de trossos de cartró blanc d'unes quants capses de medicaments

Urpes fetes amb ganxos de cortina

En veure la cara contrafeta de l'home, el noi va tornar a cridar:

—Arrrggghhh!

—Hola, nens! —va dir el conserge alegrement—. Sento arribar tan tard.

Ara en Tom respirava i exhalava acceleradament.

—Q-q-què...? —va panteixar.

—Calma, jove senyor —va dir l'home—. Sóc jo, el conserge.

—Aleshores és vostè, qui ho ha tramat tot?

—Sí! He trigat setmanes a esculpir el paisatge àrtic amb el glaç de la cambra frigorífica. Per sort, feia anys que no es descongelava, de manera que hi havia «neu» de sobres per jugar-hi.

En Tom estava desconcertat. Li havien dit que als Amics de Mitjanit només admetien nens, que era un secret per als adults. Com podia ser que aquell home d'aspecte sinistre hi estigués involucrat?

—Hola, conserge! —va dir l'Amber mentre en George i en Robin empenyien amb grans esforços la cadira de rodes fins a l'entrada de la cambra frigorífica.

—Bon vespre, jove senyoreta Amber —va respondre l'home—. Tenia pensat sortir de darrere de l'iglú disfressat d'ós polar per donar-vos una sorpresa, però no he estat a temps de cosir les orelles.

L'home va ensenyar les orelles. Un dels trossos d'esponja penjava d'un fil.

—És genial! —va exclamar l'Amber—. El millor que ha fet mai. Si pogués, li faria una abraçada.

El conserge li va donar uns copets suaus al cap amb el guant de cotó fluix.

—Molt amable. Gràcies, jove. Aquest desig d'anar al Pol Nord m'ha obligat a trencar-me la closca.

—Quan vaig ingressar a l'hospital perquè em traguessin les amígdales, mai no vaig pensar que m'acabaria trobant un ós polar! —va comentar en George.

—No és de veritat, George —va dir en Robin.

—Sí, ja me n'he adonat —va dir en George—. Quan s'ha tret la caputxa.

—Renoi —va remugar en Robin.

—Però, conserge, per què ho fa, tot això? —va voler saber en Tom.

—Jo? Bé, el fet és que sempre m'ha agradat ajudar els Amics de Mitjanit, des de bon començament —va respondre l'home, amb una espurna als ulls—. Però he d'actuar amb molt de compte. Si la matrona se n'assabentés, m'acomiadarien a l'acte!

—I per què ho fa, doncs?

—Penso que val la pena arriscar-se. Crec que si els pacients d'un hospital estan contents, hi ha moltes més possibilitats que es recuperin.

«Això té molt sentit», va pensar en Tom, abans de preguntar:

—Però, i si no es recuperen?

—Encara que els pacients no es recuperin, almenys se sentiran millor. I això ja paga la pena.

—Té tota la raó —va coincidir en Robin.

—Jo només sóc un trist conserge, el més trist entre els tristos... —va remugar l'home.

—No és el més trist entre els tristos! —el va interrompre l'Amber.

—És molt amable, vostè —va respondre ell.

—Sempre queda el que **neteja els vàters** —va afegir el George, sense cooperar gaire.

—Vaja, segur que això l'ha fet sentir molt millor —va dir en Robin.

—Netejar els vàters és una feina important, encara que pudent, jove senyor. Mai no vaig tenir ocasió d'anar a la universitat ni d'estudiar per ser metge. Això és el que m'hauria agradat fer a la vida. Vaig passar gran part de la joventut en un hospital no gaire diferent d'aquest. Els metges van intentar redreçar això, moure això altre —va dir assenyalant la seva cara deforme—. Però res no va funcionar. Em vaig quedar sense una educació apropiada. M'hauria encantat anar a l'escola, però em van dir que era millor que em quedés a l'hospital, on no espantaria els altres nens.

De sobte, en Tom va sentir una onada de culpabilitat. Havia cridat de pànic en veure el conserge. No una vegada, sinó dues.

—Ja fa dos mesos que sóc a l'hospital amb els braços i les cames trencades —va dir l'Amber—. I en tot aquest temps han passat molts nens i nenes per la sala de pediatria. Molts somnis s'han fet realitat. I cap de nosaltres no ho hauria aconseguit sense vostè.

El conserge semblava una mica aclaparat.

—Vaja, gràcies, senyoreta Amber. He de reconèixer que hem aconseguit coses meravelloses, oi?

—Expliqueu-me-les, expliqueu-me-les! —va demanar en Tom.

CAPÍTOL 17

HISTÒRIES

—Una nit, els Amics de Mitjanit van celebrar una cursa de cotxes molt emocionant! —va començar a explicar l'Amber.

—En cadira de rodes! —va continuar el conserge—. Hi havia un jove que es deia Henry i que no podia caminar. Havia nascut així. Però el jove Henry desitjava desesperadament ser pilot de curses. Li vaig revisar el cablejat de la cadira de rodes elèctrica perquè anés superràpid. A vuitanta quilòmetres per hora! Quan passava a tota *velocitat*, ho veies tot borrós! I aleshores, com és natural, tots els altres nens de la sala també ho van voler provar!

—Allò no era just! —va dir en George—. Quina sort que tenia, aquell Henry del dimoni!

—Sort? —va dir en Robin—. No podia caminar!

—Reconec que en això no tenia tanta sort.

—Aleshores vaig trobar unes cadires de rodes velles i rovellades que s'estaven podrint aquí a baix

—va continuar el conserge, arrossegant les paraules—. Hi vaig col·locar uns motors que vaig «agafar en préstec» dels tallagespes del cobert del jardiner. Cada nen es va pintar el seu número a la part de darrere del pijama. Vaig fer servir una tovallola com a bandera per donar la sortida, i tots van arrencar!

—Vam passar tota la nit corrent i corrent pels passadissos de l'hospital! —va exclamar en George—. Jo vaig quedar tercer!

—A la cursa només participaven tres nens —va especificar l'Amber.

—Sí, però, tot i això, vaig quedar tercer!

140

—Jo em vaig estavellar cent tres vegades, però em va encantar igualment —va afegir en Robin—. No sé com, però vaig quedar segon.

Tot i que els nens havien començat a tremolar a la cambra frigorífica, no podien parar de compartir les històries de les aventures nocturnes dels Amics de Mitjanit. La «neu» continuava caient del sostre mentre ells explicaven aquelles històries tan fantàstiques i reals.

—A la sala també hi havia una nena petita que es deia Valerie —va continuar l'Amber—. No tenia més de deu anys. Era una apassionada de la història. De gran volia ser arqueòloga. El seu somni era explorar els tresors de l'Antic Egipte.

—I com ho vau aconseguir? —va preguntar en Tom.

—Primer de tot vaig robar, vull dir, vaig «demanar prestats», molts metres de bena de la farmàcia de l'hospital —va dir el conserge—. Aleshores tots els nens es van embolicar amb les benes per fer de mòmies egípcies. Vaig construir una piràmide amb caixes de cartró buides, i tothom es va esperar a dins. Quan tot va ser a lloc, la jove Valerie va entrar a la piràmide i va fer veure que era la primera arqueòloga que trobava la tomba del faraó.

—Quan vaig tornar a la sala de pediatria, com que no m'hi veia, em vaig perdre —va dir en Robin—. Em vaig equivocar de planta i vaig acabar espantant els ancians. Es pensaven que una mòmia havia tornat a la vida! Ha, ha!

—Sona molt emocionant —va reconèixer en Tom—. M'encanta la idea de tenir una aventura d'aquestes tan terrorífiques.

—Aleshores és una llàstima que no fos aquí amb nosaltres l'any passat per la Castanyada, jove senyor Tom —es va lamentar el conserge.

—Què va passar? —va preguntar l'Amber.

—Sí, en aquell temps, cap de nosaltres no era a l'hospital —va afegir en Robin—. Expliqui'ns-ho!

—Bé, hi havia una nena a la sala que es deia Wendy. La van ingressar a l'hospital per operar-la. La Wendy no suportava haver-se de quedar tant de temps internada, perquè no solament es perdria la festa de la Castanyada, que li encantava, sinó també les classes de balls de saló.

—I què van fer? —va preguntar en Tom.

—Vaig tenir la idea de combinar totes dues coses. I vaig organitzar un concurs de balls de saló que començaria a mitjanit.

—Però això no sembla gens **terrorífic!** —va dir l'Amber.

—Bé, jove senyoreta Amber, la particularitat va ser que tots els nens van ballar amb esquelets!

—De veritat? —va preguntar en Tom, una mica desconcertat.

—No! És clar que no! Eren els models de plàstic que els metges guarden a les consultes.

—Encara sort!

—I vaig deixar que guanyés la Wendy, és clar.

—Almenys no va guanyar un dels esquelets —va dir en Robin—. Hauria estat molt estrany.

—En canvi, vostès sí que eren a l'hospital quan els Amics de Mitjanit van anar a fer surf! —va apuntar el conserge.

—I tant, un noi que es deia Gerald havia perdut una cama després d'un gravíssim accident de cotxe —va començar l'Amber.

—Això és horrible! —va dir en Tom.

—També va ser horrible que la matrona li digués que ja no tindria cap possibilitat de ser surfista professional.

—Quina dona tan dolenta! —va dir en Robin.

—Però els Amics de Mitjanit no hi estaven d'acord —va continuar la nena—. Vam ajudar en Gerald a enfilar-se a una de les lliteres del conserge. Aleshores, tots junts, la vam pujar i baixar per l'escala durant tota la nit, com si estigués fent surf sobre l'onada perfecta!

—Molt bé! —va exclamar en Tom.

—I no oblidem aquell jove que tenia el desig de prendre el te amb la reina —va fer el conserge—. Es deia Sandy.

—I com ho vau aconseguir? —va preguntar en Tom.

—No estic segur que m'assemblés gaire a la reina —va dir en Robin—. Em vaig embolicar amb una cortina de dutxa i em vaig posar una paella al cap que feia de corona.

PALAU BUCKINGHAM

—Jo m'ocupava del gos gal·lès de la Reina —va anunciar en George, tot orgullós.

—Com? —va preguntar en Tom.

—De nit, ens vam esmunyir per les sales de l'hospital i vam recollir les sabatilles més molsudes dels pacients. Aleshores les vam lligar a uns cables amb un pal, i jo les movia alhora que bordava com si fos un gos.

—Va ser increïblement realista —va admetre en Robin, amb sarcasme.

—En Sandy va dir que li havia agradat! —va dir en George.

—No li va agradar gens que el colpegessis amb el pal!

—Això no va ser culpa meva! —va protestar en George—. Aquells gossos gal·lesos es van esverar massa!

—Ja ho pots ben dir! —va replicar en Robin.

—La setmana passada va venir un nen a la sala que anhelava desesperadament ser còmic —va intervenir l'Amber.

—Es deia David, però no era gens divertit —va afegir en Robin—. De fet, no feia gens de gràcia. Quan explicava un acudit, sempre deia el final abans del plantejament. Per exemple, podia dir: «Una oliva farcida d'anxova cau enmig del carrer i diu "M'he trencat un os!". I l'altra li diu "Però si ets d'anxova!"».

—Com? —va preguntar en Tom.

—Espera, que aquest encara és pitjor! «Quiquiri-quí! Hi ha algun gall, aquí? Qui, qui?»

—Para d'una vegada! —va dir en Tom.

—I aquest era el millor de tots: «Estàs detinguda. Quieta! Què va dir el policia a la seva panxa?».

—No l'entenc —va dir en George.

—Hauria d'haver estat: «Què va dir el policia a la seva panxa? Quieta! Estàs detinguda!» —va aclarir l'Amber.

—Continuo sense entendre'l —hi va tornar en George.

—Pobre senyor David —va dir el conserge—. Era totalment inconscient de la poca gràcia que feia. Però la seva màxima il·lusió era sentir grans rialles del públic.

—I què vau fer? —va preguntar en Tom.

—Vaig «agafar en préstec» un cilindre de gas hilarant —va començar a explicar l'home.

—De gas... què? —va fer en Tom.

—Els metges el fan servir per tractar el dolor. Però es diu «gas hilarant» perquè també fa riure la gent. Així, sense que en David ho sabés, vaig deixar-ne anar una mica en una habitació plena de pares expectants que esperaven les novetats que arribaven de la sala de parts. Aleshores hi vaig fer anar el jove senyor David. Va explicar tots els seus acudits a l'inrevés i sorprenentment tots els pares que s'esperaven es van petar de riure amb tot el que va dir!

—HA, HA, HA, HA, HA, HA, HA, HA, HA, HA, HA, HA, HA, HA, HA, HA, HA, HA, HA!

—Una de les meves aventures favorites va ser quan els Amics de Mitjanit vam nedar amb els dofins! —va recordar en George.

—On va ser, això? —va preguntar en Tom.

—Al dipòsit d'aigua de l'hospital, és clar! —va respondre el conserge—. És enorme! De la mida d'una piscina!

—Però, i els dofins?

—Vaig plantejar-me «agafar-ne prestat» un de veritat de l'aquàrium, però me'n vaig penedir. En comptes d'això, amb l'ajut dels nens, vam pintar uns coixins inflables perquè semblessin dofins. Després vaig fer servir algunes cordes i politges per arrossegar-los per l'aigua. A aquell pacient petit, en Mohammed, que em sembla que només tenia sis anys, li va encantar!

—El safari va ser genial! —va dir en George.

—Sí, allò era el que més desitjaven els bessons, en Hugh i en Jack —va explicar el conserge—. A en Hugh li fallava un ronyó i en Jack en va donar un al seu germà. Tots dos van ser a l'hospital durant força temps a causa de les operacions. Per a la seva aventura amb els Amics de Mitjanit, els altres nens de la sala van fabricar unes disfresses d'animal amb coses que van arreplegar per l'hospital. Una mànega es va convertir en la trompa d'un elefant, una tovalloleta de bany, en la cabellera d'un lleó, la pròtesi d'una cama, en el coll d'una girafa. Vam «agafar prestat» un escúter de mobilitat. Allò era el seu jeep. Aleshores els bessons van conduir de nit per tot l'hospital mentre els altres nens saltaven des de tots els racons, disfressats d'animals salvatges.

—Meravellós! —va dir en Tom—. Senzillament meravellós. I vosaltres dos, nois, ja heu fet realitat els vostres somnis?

CAPÍTOL 18

BA BA BA BOM

—El meu somni es va fer realitat fa unes quantes nits —va respondre en Robin, al soterrani de **L'HOSPITAL LORD FUNT**—. Em pensava que havia fet un desafiament impossible als Amics de Mitjanit. A l'escola tinc una beca d'estudis musicals. Sempre em posen les millors notes en piano i violí, de fet en tota mena d'instruments, i algun dia m'agradaria ser compositor. No m'agrada fer bufar ampolles, però sé bufar una trompeta. La meva passió és la música clàssica. En especial, l'òpera. Per això, el meu somni era ser el director d'una orquestra sencera.

—És veritat que va ser un desafiament —va dir el conserge—. Una orquestra pot arribar a tenir cent músics. Vaig haver de demanar prestats nens de tots els hospitals de Londres perquè m'ajudessin.

—Què van tocar? —va preguntar en Tom.

—Instruments mèdics! —va respondre en Robin—. I jo era el director. Vaig escollir la meva peça favorita, la Cinquena Simfonia de Beethoven.

BABA BA BOM! BA BA BA BOM!

—Com sonava? —va preguntar en Tom.

—Horrible! Però això no tenia gens d'importàn-cia! —va dir en Robin—. Era la sensació!

En Tom podia veure la sensació de felicitat a la cara del noi.

—I com era, aquesta sensació? —va demanar.

—Costa de descriure exactament. Podríem dir que la sensació de dirigir-los era semblant a tocar el cel! —va respondre en Robin.

—Ostres! —va fer en Tom. Hauria de pensar alguna cosa realment extraordinària si volia superar tots aquells somnis.

—Ara em toca a mi! —va dir en George, emocionat—. La propera vegada que els Amics de Mitjanit entrin en acció serà per fer realitat el meu somni!

—Sí, però esperi's un moment, jove senyor George —va dir el conserge—. Aquest desig en particular el tinc una mica travessat.

—Quin és? —va voler saber en Tom.

—En George vol volar —va dir l'Amber.

—En avió? —va preguntar en Tom.

—Oh, no, no, no! Això seria massa senzill! —va respondre en Robin—. El nostre George vol volar com un superheroi. Enlairar-se, i *fiuuu!* És un ocell? És un avió? No, és en Super-George!

En Tom va mirar en George. Era un noi molt robust. Seria difícil trobar algú menys adequat per emprendre el vol. Semblava impossible. Potser aquest era un somni inabastable, fins i tot per a la poderosa colla dels Amics de Mitjanit.

Però el conserge de l'hospital no es donava per vençut fàcilment.

—Ja trobarem la manera —va remugar—. No s'amoïni, jove senyor George, sempre trobem la manera. Només cal fer servir la imaginació. Bé, s'està fent tard, o d'hora, segons com es miri. Vaig a recollir tot això. —L'home va indicar el Pol Nord que havia creat especialment per a aquella nit—. Nens, ja és hora d'anar a dormir.

Els nens s'estaven divertint massa.

—Nooooooo! —es van queixar.

—SÍ! —va respondre el conserge—. Ja fa molt que ha passat l'hora d'anar al llit!

A contracor, els quatre nens van sortir arrossegant els peus de la cambra frigorífica i van començar a caminar pel passadís.

—Per cert, jove senyor Thomas! —el va cridar el conserge.

—Sí? —va fer en Tom.

—No estic segur que li agradi gaire dur aquesta camisa de dormir rosa amb farbalans...

—No. Gens ni mica.

—Ja m'ho semblava. No sé per què la matrona li ha donat aquesta roba. Deu tenir pijames de sobres, al despatx.

—De veritat? —El noi no donava crèdit al que sentia—. Aleshores, per què m'ho fa portar?

—Aquesta dona té el cor fosc. Li agrada fer patir els nens que estan al seu càrrec.

—Per què? —va preguntar en Tom.

—La matrona gaudeix sent cruel. Se sent poderosa. Per això l'ha obligat a posar-se aquesta camisa de dormir.

—L'odio —va dir el noi amb les dents serrades.

—No ho faci. És el que ella vol. Si l'odia, ella haurà guanyat. I seu cor també es tornarà fosc. Sé que és difícil, però intenti que no se surti amb la seva.

—Ho intentaré.

—Bé —va dir el conserge—. Mentrestant, li trobaré un pijama.

—Gràcies... —va respondre en Tom—. Ho sento, encara no m'ha dit el seu nom...

—Digui'm simplement «conserge». És el que fa tothom.

Era estrany dir-li així, però no hi havia temps per discutir.

—Bé, gràcies, conserge.

—Som-hi, noi nou! —va ordenar l'Amber—. Ja pots empènyer!

Amb un sospir, en Tom va tornar a empènyer la cadira de rodes, i la colla va anar cap a l'ascensor.

—Quieta! Estàs detinguda! —va dir en George—. **Ha, ha, ha!**

—Què diu ara, aquest? —va preguntar en Robin.

—Acabo d'entendre l'acudit!

—La propera vegada crec que serà més ràpid enviar-te'n el final per correu —va bromejar en Robin.

—Trigaria massa —va respondre en George, sense gens d'ironia.

CAPÍTOL 19

EXTREMAMENT PRIMITIU

Ningú no va gosar parlar mentre l'ascensor feia el llarg trajecte fins al capdamunt de l'hospital, al pis quaranta-quatre de l'edifici. L'Amber, en George, en Robin i el membre més recent dels Amics de Mitjanit, en Tom, sabien perfectament que tindrien molts problemes si algú els descobria fora del llit a aquelles hores de la nit. Neguitosos, els quatre nens observaven les xifres dels pisos que anaven pujant de la «S» de soterrani a...

PB, 1, 2, 3...

Eren els primers instants del dia.

4, 5, 6...

L'HOSPITAL LORD FUNT estava quiet i silenciós.

7, 8, 9...

Tots els pacients adults estaven adormits.

10, 11, 12...

Un petit equip de metges i infermeres feien guàrdia durant la nit.

13, 14, 15...
PIN*G!*

Els nens es van mirar entre ells, horroritzats. L'ascensor s'havia aturat, i no pas a la sala de pediatria.

—Oh, no! Ens han enxampat! —va dir en George.

—*Xxxt!* —L'Amber el va fer callar.

En Tom va tenir la mala sort d'estar situat just al costat de les portes de l'ascensor, que en aquell moment van començar a obrir-se.

—Digues alguna cosa, Tom! —li va xiuxiuejar l'Amber.

—Jo? —va protestar el noi.

—Sí! Tu! —va respondre ella.

Les portes de l'ascensor es van obrir del tot i va aparèixer una de les dones de la neteja de l'hospital. A la placa que duia al davantal posava DILLY.

La Dilly es va quedar immòbil, amb un pal de fregar vell i llardós en una mà i una galleda a l'altra, i un cigarret enganxat al llavi inferior. Atònita, la dona de la neteja va obrir la boca, i un llarg rastre de cendra va caure del cigarret a terra.

La Dilly va esguardar el grup de nens amb gran suspicàcia. Al davant hi havia un nen que portava una camisola rosa amb farbalans i al darrere d'ell tres nens en pijama s'amagaven d'ell.

—Què feu fora dels llits, nens? —va preguntar-los la dona de la neteja. Com que probablement s'havia passat la vida fumant, la veu de la Dilly era ronca i profunda. El cigarret que duia al llavi pujava i baixava amb cada paraula.

—Aquesta és una molt bona pregunta, senyora! —va respondre en Tom, per guanyar temps—. En realitat, ens ho ha demanat el director de l'hospital, Sir Quentin Strimmers...

—Strillers! —va xiuxiuejar l'Amber.

—... Strillers. Ens ha demanat que compro-véssim la qualitat de la neteja a l'hospital.

—Que què? —va de-manar la Dilly.

—Sí. —En Robin va agafar el fil—. Hem ins-peccionat l'edifici de dalt a baix.

*PIN**G**!*

Els nens van respirar alleujats en veure que les portes de l'ascensor es començaven a tancar.

Però just a l'últim moment la dona va ficar el peu entre les dues portes i aquestes es van tornar a obrir.

—Per què hauria de demanar Sir Quentin a una colla de nens que fessin això? —va preguntar la Dilly.

Per un instant, els Amics de Mitjanit es van quedar sense raons.

Tots els ulls es van girar cap a en Robin, que era considerat el membre més intel·ligent del grup.

—El director volia que els nens inspeccionessin la neteja de l'hospital perquè —va començar—, com potser vostè mateixa deu haver observat, els nens són més baixos que els adults i, per tant, estan més a prop de terra. Això fa que ens sigui més fàcil localitzar alguna taca de pols o de brutícia —va dir.

Els tres amics el van mirar impressionats.

—Però tu duus els ulls embenats! No pots veure res! —va dir la dona de la neteja.

Tenia part de raó.

—Aquí és on entro jo! —va intervenir en Tom—. Es podria dir que sóc els ulls del grup. I he de remarcar que aquest terra està fet un fàstic.

La Dilly pertanyia a aquella rara espècie de dones de la neteja que ho deixen tot pitjor de com ho han trobat. De fet, havia estat netejant el terra amb una aigua negra de brutícia. Com a resultat, anava deixant unes taques fosques i brutes en els llocs per on acabava de passar el pal de fregar.

—Però si l'acabo de fregar! —va protestar la Dilly.

—Bé, doncs ho sento molt. Caldrà tornar-ho a fer —va concloure en Tom.

PING!

Les portes de l'ascensor van fer un altre intent de tancar-se.

Una vegada més, semblava que no hi havia escapatòria.

El peu de la dona de la neteja continuava fermament plantat enmig de les portes corredisses de l'ascensor.

Una fumarada de cigarret va avançar en cercles cap als nens.

—I jo sóc el nas del grup! —va afegir l'Amber—. I lamento haver-ho de dir, però hi ha un vàter al setè pis que s'ha de rentar amb urgència.

—Els acabo de rentar, aquells cagadors! —es va queixar la Dilly.

—Bé, doncs se'n devia deixar algun —va dir l'Amber.

—O algú acaba d'anar-hi ara mateix i hi ha diposat quelcom extremament primitiu —va reblar en Robin.

—Sí, perquè en sento la catipén des d'aquí! —va coincidir l'Amber, arrufant el nas davant de la suposada pesta.

—Jo no sento res! —va comentar en George.

En Tom li va ventar una bufa perquè callés.

—I ara, si pot fer el favor de treure el peu de l'ascensor —va continuar en Tom—, el comitè d'inspecció de l'hospital ha de continuar fent via. Seria una llàstima haver-la de denunciar a Sir Quentin Strillers, oi que sí?

Tots els membres de la colla van assentir amb el cap i van xiuxiuejar entre ells.

—Si jo estigués en el seu lloc, aniria de seguida a netejar aquell vàter del setè pis! —va etzibar-li l'Amber.

—Sí, sí, és clar —va dir la dona, traient el peu. Un nou rastre de cendra va caure a terra.

—I una darrera cosa, Dilly —va dir en Robin.

—Sí?

—Hauria de deixar de fumar. A l'hospital corre el rumor que és perjudicial per a la salut. El pròxim ascensor serà de baixada! Moltes gràcies! —es va acomiadar el noi.

PING!

CAPÍTOL 20

EL JURAMENT

Per fi es van tancar les portes de l'ascensor, i els quatre nens van respirar alleujats, mentre començaven a pujar amb penes i treballs cap a la sala de pediatria. Quan es van adonar que ja estaven fora del camp auditiu de la dona de la neteja, tots quatre van deixar anar unes sonores riallades.

—HA! HA! HA!

—Ben fet, Tom —va dir l'Amber—. Inspectors de la neteja! Ets un geni! Ens has deslliurat d'un bon tràngol. Si pogués, et donaria copets a l'espatlla.

Amb els ulls, la nena va indicar els seus braços trencats, empresonats dins del guix.

—I jo et donaria copets a l'espatlla si estigués segur d'on ets —va dir en Robin, esbossant un somriure sota les benes que li tapaven els ulls.

—Aleshores ho hauré de fer jo! —va dir en George, i va colpejar quatre vegades en Tom—. Una per cadascun de nosaltres.

—Nosaltres som tres! —el va corregir l'Amber.

—Ho sento, les matemàtiques mai no han estat el meu fort —va respondre en George.

—Aleshores, això significa que ja sóc membre de ple dret dels Amics de Mitjanit? —va preguntar en Tom, esperançat—. Després de les aventures d'aquesta nit, segur que el període de prova s'ha acabat, oi?

Es va tornar a fer el silenci a l'interior de l'ascensor.

—Si us plau, deixa'ns un minut per deliberar —va dir l'Amber.

Els tres nois es van ajuntar en un racó de l'ascensor i van xiuxiuejar entre ells mentre en Tom esperava, amb la sensació de ser una andròmina inservible.

—Acabada la reunió dels Amics de Mitjanit —va començar l'Amber molt a poc a poc—, el consell de membres ha decidit...

—Que sí! —va cridar en George.

L'Amber semblava terriblement descontenta que el noi li hagués robat el seu moment de glòria.

—El volia fer patir! —va protestar.

—GRÀCIES! —va dir en Tom. Tenia ganes de posar-se a ballar. A l'internat, en Tom sempre s'havia sentit com un foraster. No pertanyia a l'equip de rugbi. Ni a la colla dels nens enrotllats. Ni tan sols al grup dels estudiosos. I ara s'havia convertit en membre de la colla més emocionant del món. Els Amics de Mitjanit.

—Estic molt molt content.

—La quota de membre és de mil lliures l'any, que se'm pagaran a mi, al comptat —va afegir en Robin.

Per un instant, en Tom va quedar desconcertat, fins que en Robin va somriure amb astúcia per indicar-li que li estava prenent el pèl.

—Jo encara no he pagat —va dir, preocupat, en George, que aparentment no havia entès l'acudit.

—Bé, ja m'ho donaràs demà a primera hora —va respondre en Robin.

—Però jo no tinc mil lliures! —va protestar en George.

—Està fent broma, pallús! —va dir l'Amber—. Però sí que hauràs de fer un jurament.

—És un jurament solemne —va afegir en Robin—. Hauràs de jurar lleialtat als Amics de Mitjanit.

—Repeteix després de mi —va dir l'Amber—. Juro solemnement...

—Juro solemnement... —va començar en George.

—Tu no, George! Tu ja n'ets membre.

—És veritat —va contestar en George.

—Juro solemnement... —va repetir en Tom.

—Que sempre posaré les necessitats dels meus germans i germanes de la colla per davant de les meves pròpies... —va continuar l'Amber.

—Que sempre posaré les necessitats dels meus germans i germanes de la colla per davant de les meves pròpies...

—I guardaré el secrets dels Amics de Mitjanit durant tota l'eternitat i un dia.

—I guardaré el secrets dels Amics de Mitjanit durant tota l'eternitat i un dia.

PinG!

Les portes de l'ascensor es van obrir a la planta quaranta-quatre.

—Enhorabona! —va dir l'Amber—. Tom, ja ets un membre oficial dels Amics de Mitjanit.

CAPÍTOL 21

UNA VEU EN LA FOSCOR

Quan les portes de l'ascensor es van obrir al pis superior de l'hospital, tots quatre van callar. Mentre avançaven cap a la sala de pediatria, sabien que havien d'actuar amb el màxim sigil. La matrona no trigaria a despertar-se. Si és que no ho havia fet ja.

En el silenci de la nit, cada sorollet semblava eixordador.

El **clan**_c de la porta doble en obrir-se a la sala de pediatria.

El **xip-xap** dels peus descalços d'en Tom sobre el terra lluent.

El *crec* de la roda punxada de la cadira de rodes.

La **respiració** pesada d'en Tom de tant empènyer l'Amber.

En George **cantussejant** una cançoneta alegre.

—*Xxt!* —va fer l'Amber—. Se suposa que no hem de fer soroll!

—Ho sento!

La sala de pediatria era a les fosques. L'única llum que hi havia es filtrava o bé des del despatx de la matrona al final de la sala, o bé des del rellotge del Big Ben que resplendia a través de la finestra.

Els Amics de Mitjanit van comprovar amb alleujament que la matrona continuava adormida al despatx, roncant sense contemplacions.

—ZZZZZz, ZZZZZz, ZZZZZz, ZZZZZz...

Tenia el cap aixafat contra la taula. Una inspecció més acurada per part d'en Tom va revelar que els llavis de la dona encara estaven tacats de xocolata. A més, un fil de bava xocolatada li queia des de la boca fins a l'escriptori. En Tom va somriure en veure l'aspecte poc digne de la dona. Aleshores va retrocedir cap al seu llit, com si no volgués despertar-la.

—Vinga, nois! Ajudeu-me a mi, primer! —va ordenar l'Amber. Els tres nois van alçar la nena de la cadira de rodes, amb la intenció de col·locar-la damunt del llit.

Però just en aquell moment, una veu va emergir de la foscor.

—I bé, doncs. On heu anat, aquesta vegada?

Amb l'ensurt, els nois van deixar anar l'Amber,
que va caure a terra.

—AAAIII!

—va xisclar la nena.

CAPÍTOL 22
PLENA DE MOCS

—Us he fet una pregunta. On heu anat, aquesta vegada?

Era la Sally.

La nena petita amb la pell pàl·lida i el cap calb estava ajaguda al llit a l'altre extrem de la sala de pediatria. Una vegada més, s'havia quedat enrere mentre els altres nens vivien les seves aventures.

—Enlloc! —va respondre l'Amber amb brusquedat. Estava enfurismada amb els nois, que l'havien deixat caure a terra i ara l'estaven posant al llit.

—No podeu haver anat enlloc —va respondre la Sally—. Deveu haver anat a algun lloc.

—Torna a dormir! —va xiuxiuejar l'Amber.

—No! —va contestar la Sally—. En Tom m'ha promès que m'explicaria totes les aventures d'aquesta nit. Oi que sí, Tom?

Tots els nens es van girar cap a en Tom, que en aquell moment lliscava sota els llençols del seu llit.

—Bé... —va dir en Tom. El noi va tenir ganes de desaparèixer. Sabia perfectament que els altres tres no voldrien que els secrets dels Amics de Mitjanit es divulguessin més enllà del cercle de confiança. L'envaïa el dubte. Se sentia dividit. En Tom acabava de jurar lleialtat als Amics de Mitjanit, però al mateix temps patia per la Sally, a la qual havien deixat sola a la sala de pediatria nit rere nit. Tanmateix, va pensar que no tenia elecció.

»Jo no vaig prometre res —va respondre. De seguida, va notar una fiblada de vergonya per haver mentit.

—Sí que ho vas fer! —va dir la Sally amb la veu trencada. La nena estava cada vegada més enrabiada amb tothom—. Aquesta nit, just després de la mitjanit, he demanat a en Tom que em dugués amb ell. M'ha dit que no, però m'ha promès que després m'ho explicaria tot.

—Has fet això, Tom? —va preguntar en George.

En Tom va dubtar un instant i va respondre:

—No.

—HO HAS FET! —va protestar la Sally.

—NO!

—SÍ, SÍ, SÍ, SÍ, SÍ!

—Calla, si us plau! —va pregar l'Amber.

—NO HO PENSO FER! —va respondre la Sally. Per ser una nena tan petita, tenia una veu molt potent—. No pararé fins m'expliqueu què ha passat aquesta nit. He vist com sortíeu dissimuladament després de les dotze, nit rere nit. M'heu d'explicar el que esteu tramant!

—Si us plau, Sally, dorm —va dir l'Amber—. Si la matrona ho descobreix, ho passarem malament.

—NOOOO! —va cridar la Sally.

El soroll devia haver despertat la matrona, perquè en aquell mateix instant va deixar de roncar.

—ZZZZZZZZZZZZzzz...

Des de l'altra banda del vidre que dividia la sala del despatx de la matrona, els nens van veure com la dona s'aixecava tentinejant de la cadira. Tenia els cabells en punta i el maquillatge escampat per tota la cara. Semblava un pallasso que algú acabés d'arrossegar cap per avall per uns arbustos. Després de trontollar un parell de vegades, la matrona va recuperar l'equilibri i va caminar cap a la porta que donava a la sala. Dins dels llits, tots els nens es van quedar immòbils com estàtues. Ni tan sols gosaven respirar, cosa que feia pensar que estava passant alguna cosa.

—Petites bestioles, sé que en porteu alguna de cap —va amenaçar-los—. Potser aquesta vegada us n'heu sortit, però us asseguro que us estic vigilant. A tots i cadascun de vosaltres.

La dona va avançar a grans gambades pel costat dels llits, acostant la cara a cadascun dels nens. L'olor de perfum que desprenia era tan intensa que quan es va atansar a en Tom, el noi va notar una forta picor al nas. Per un instant terrorífic va pensar que esternudaria. Aleshores li va passar. Però de sobte li va tornar, i de valent.

—AAATXUUUM!

El noi havia esternudat sobre la cara de la matrona.

Estava tan espantat que no va gosar obrir els ulls per veure els mocs que sens dubte devien penjar a la cara de la dona. En comptes d'això, va mantenir els ulls fermament tancats i va fer veure que l'esternut no l'havia despertat.

La matrona estava tan enrabiada després de quedar tan espectacularment coberta de mocs que va retrocedir veloçment cap al despatx. Quan va ser a dins, es va posar un parell de guants de goma transparents i es va treure els mocs de la cara amb tovalloletes antisèptiques. Va trigar una estona a quedar satisfeta i segura que havia eliminat tots els rastres de moc. Aleshores, per consolar-se, va agafar un altre bombó i se'l va menjar. De seguida, els ulls se li van envidriar i es va tornar a quedar adormida. El cap va picar contra la taula. El somnífer especial l'havia tornat a deixar fora de combat.

—ZZZZZZZZ ZZZ zzz...

—L'has feta bona, nen nou! —va xiuxiuejar l'Amber a en Tom—. Tot això és culpa teva. Per què vas haver de prometre a la Sally que li ho explicaries tot?

—Jo no vaig prometre res.

En Tom estava massa endinsat en la mentida i ara

ja no es podia fer enrere. Cada cop que mentia, el noi sentia que es moria una mica per dins.

—Ara ja no té importància! —va xiuxiuejar en George—. L'únic que importa és que aquesta nit ningú no torni a dir res. La matrona ens té clissats! Entesos?

—Sí, entesos —va dir en Robin—. I ara, calla tu, també!

—Deixa de dir ximpleries, Robin. Pareu de parlar i aneu a dormir.

—M'encantaria anar a dormir! Quan deixeu de dir-me que vagi a dormir i calleu una estona, ho faré!

—Nois estúpids, calleu d'una vegada i aneu a dormir immediatament! —va xiuxiuejar l'Amber.

Després d'això, ningú més no va dir ni piu.

CAPÍTOL 23

LLÚDRIGA
FREGIDA

—A esmorzar! Desperteu-vos, desperteu-vos, desperteu-vos, nens, és l'hora d'esmorzar!

Aquest va ser el crit que va despertar en Tom i els altres nens de la sala de pediatria quan es va fer de dia, amb prou feines un parell d'hores després que s'haguessin ficat al llit.

La matrona també es va despertar sobresaltada. Tenia un embolcall de bombó enganxat al front.

—Què què què? —va cridar la dona. Semblava clar que no sabia si era de dia o de nit ni si estava desperta o adormida.

La Tootsie era l'encarregada del menjador de l'hospital. Era una dona grassa i agradable amb els cabells arrissats i un somriure assolellat. Com sempre, la Tootsie empenyia el carretó del menjar.

—Oh, no, és vostè! —va grunyir la matrona en entrar a la sala.

—Sí, sóc jo, la Tootsie! —va respondre la dona alegrement—. Espero que no s'hagi tornat a quedar adormida a la feina, matrona!

La majoria dels nens ja estaven incorporats al llit. La Tootsie sempre els feia somriure, sobretot quan plantava cara a la seva enemiga, la matrona.

—No, no, no! —va mentir la dona—. És clar que no estava adormida.

—Què feia, aleshores? —la va pressionar la Tootsie.

—Bé, doncs, d'això... estava repassant un formulari al meu escriptori i... la lletra era molt petita i hi he hagut d'acostar molt la cara! I ara, vinga, serveixi l'esmorzar als nens immediatament!

—De seguida, matrona!

Mentre la matrona mirava d'empolainar-se da-

178

vant del mirall, en un intent de recuperar un aspecte presentable, la Tootsie va acostar el carretó al llit d'en Tom.

—Bon dia...

La Tootsie no aconseguia llegir bé el nom que hi havia escrit al tauler de damunt del llit, de manera que es va abaixar les ulleres de llegir, que duia al cap-damunt dels cabells arrissats.

—Thomas! Bon dia, bon dia i bon dia tinguis!

En Tom no entenia per què havia de dir «bon dia» tantes vegades, però no va poder evitar somriure. La dona parlava com si esti-gués cantant una cançó.

—Bon dia! —va dir en Tom.

—Bon dia, bon dia i bon dia —va respondre ella.

A en Tom no se li acu-dia quina al-tra cosa podia dir, i va repe-tir:

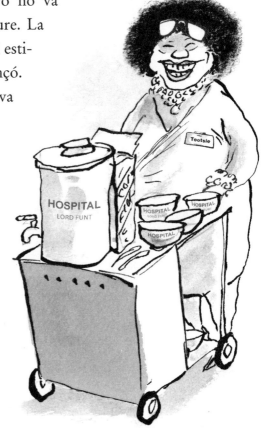

—Bon dia!

—Bon dia! I quin dia més bo que fa. Bon dia a tothom! I ara, Thomas, què et ve de gust per esmorzar?

—Què hi ha? —va preguntar en Tom.

—De tot! —va respondre la Tootsie.

—De tot? —va preguntar el noi. Era massa bo per ser real.

—De tot! —va repetir ella, amb confiança.

Els altres nens van deixar anar una rialleta. Era el primer matí que el noi passava a l'hospital, i era clar que tots sabien alguna cosa que ell desconeixia.

El menjar a l'internat d'en Tom era dolentíssim. Malgrat que l'escola era desagradablement cara, semblava que el menjar no hagués canviat des que l'havien fundat feia cent anys.

Un menú típic era més o menys aquest:

Dilluns
Esmorzar
Farinetes
Dinar
Ronyons escalfats

Sopar
Sopa de cap de vedella

Dimarts
Esmorzar
Peus de porc amb torrades
Dinar
Entrepans de llard
Sopar
Llengua de xai estofada

Dimecres
Esmorzar
Restes de llengua de xai estofada
Dinar
Sopa de colom
Sopar
Anguila bullida

Dijous
Esmorzar
Vísceres
Dinar
Coll de cigne guisat

Sopar
Teixó rostit amb salsa
de remolatxa

Divendres
Esmorzar
Ous de pardal amb torrades
Dinar
Estofat de niu
Sopar
Llúdriga fregida

Dissabte
Esmorzar-dinar
Torrades amb
gripaus
Hora del te
Un casc de cavall, amb
autoservei de col bullida
Sopar
Ratolí de camp fumat

Diumenge
Esmorzar
Una ceba crua

Dinar
Talp rostit amb guarnició,
seguit de gelatina de medul·la
Sopar
Sorpresa de col de Brussel·les
(la sorpresa era que només
és un plat de cols de Brussel·les)

Com és natural, en Tom estava encantat només de pensar que podia menjar tot el que volgués. Mentre feia la comanda a la Tootsie, no parava de salivar.

—Xocolata calenta, ah, amb nata batuda al damunt i un núvol al costat; un croissant calent de mantega, bé, que siguin dos croissants calents de mantega; panets de plàtan; ous remenats amb bacó i salsitxes, dues salsitxes, si us plau, o millor que en siguin tres, amb salsa de caramel al costat, i per acabar crec que prendré coquetes de nabius amb xarop d'auró, si us plau! Moltes gràcies! Ah, i una altra salsitxa.

Aquest podia ser el millor esmorzar de la història. Aleshores, per què els altres nens de la sala s'estaven petant de riure?

—HA! HA! HA! HA! HA!

CAPÍTOL 24
EL MILLOR MATÍ

La Tootsie va respondre a en Tom amb una pregunta:

—Torrada o cereals?

—Però vostè ha dit «de tot», Tootsie! —va respondre en Tom, desconcertat.

—Sí, ja ho sé, Thomas. El fet és que hem patit moltes retallades, aquí al **LORD FUNT**. L'hospital s'està convertint en un lloc ben trist. El nou director ha tancat l'aixeta de la inversió per al menjar dels pacients. Ningú no vol quedar-se aquí ni un minut més del que sigui estrictament necessari.

—És clar, suposo que no.

—I sé per experiència, després de trenta anys treballant aquí, que si una cosa fa feliços els pacients és pensar que podran prendre absolutament tot allò que desitgin per esmorzar.

—Però no poden —va dir en Tom.

La Tootsie va negar amb el cap i va sospirar. El noi nou no entenia res.

—Mentre els pacients només demanin torrades o cereals, continuaran creient que poden prendre tot allò que vulguin. D'aquesta manera obliden que són en un hospital vell i tronat que s'hauria d'haver enderrocat fa molts anys i es pensen que s'allotgen a l'hotel Ritz!

En Tom va somriure. Ara ho entenia perfectament i estava disposat a seguir el joc.

—Bé, gràcies, Tootsie. Mira, em sembla que aquest matí només prendré una torrada.

—Se m'han acabat les torrades.

—Cereals, aleshores! —va dir en Tom—. En realitat, això és el que volia demanar.

Al noi li era igual. Els cereals li agradaven força.

—M'agraden amb molta llet, els cereals —va afegir el noi, amb esperança.

—O els prefereixes amb crema?

—Sí, si us plau!

—És una llàstima que no en tingui, de crema.

—La llet ja m'està bé, doncs.

—Tampoc no me'n queda. Has tastat els cereals amb un rajolí de te fred? —va preguntar la Tootsie.

Llegit a la carta d'un restaurant no hauria semblat gaire atractiu, però la manera en què ho va dir la dona, amb aquell to tan musical, va fer que els cereals amb te fred sonessin absolutament gustosos.

Amb la traça d'una xef de gran categoria, amb un ràpid moviment de canell, la Tootsie va abocar els cereals que hi havia al paquet dins d'un bol verd i esquinçat. Aleshores, alçant el braç tant com va poder, va inclinar la tetera i va abocar el líquid marró i fosc dins el bol. Mentre ho feia, sense voler va esquitxar els llençols d'en Tom.

—Aquí ho tens, Thomas! I et desitjo el millor dels matins! Bon dia.

—Bon dia.

—Bon dia —va repetir la Tootsie.

—Bon dia —va tornar a dir en Tom.

—Bon dia.

—Bon dia.

Si cap d'ells no ho aturava, podien continuar desitjant-se «bon dia» fins a la fi dels temps.

En Tom volia sortir del bucle, i va optar per afegir:

—Gràcies.

—No, gràcies a tu —va dir la Tootsie.

—Gràcies a vostè.

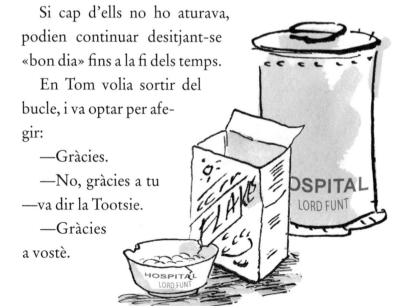

—No, gràcies a tu!

—Gràcies.

—No, gràcies a tu!

Ja tornava a començar! De manera que el noi va assentir i no va dir res. La Tootsie també va assentir i va passar al llit següent, el de l'Amber.

—Bon dia, Amber, què et ve de gust per esmorzar, aquest matí tan excel·lent?

—Bon dia, Tootsie!

—I bon dia tinguis tu.

—No ens passem tot el matí dient això, si us plau. Avui, per variar, no prendré el suc de taronja acabat d'esprémer, les móres amb iogurt de vainilla i mel i les coquetes amb nous, crema batuda i salsa de xocolata.

—N'estàs segura? —va preguntar la Tootsie.

—Del tot. Em sembla que avui el que realment em ve de gust són uns cereals amb... deixa'm pensar... amb te fred!

—De seguida, Amber!

Mentre en Tom provava de gaudir valerosament d'aquell esmorzar tan poc usual, es va adonar que la Tootsie s'ajupia i murmurava alguna cosa a l'orella de l'Amber.

—S'han trobat petjades i rastres de rodes de cadira a la cambra frigorífica...

—Què? —va preguntar l'Amber.

—El director de l'hospital, el senyor Strillers, ha baixat aquest matí a inspeccionar-ho.

—Doncs no hem estat nosaltres! —va mentir l'Amber, clarament nerviosa.

—Jo no ho he dit pas, això, estimada. Però si no heu estat vosaltres, qui ha estat?

—No ho sé! —va protestar la nena.

—Mira, jo no sé el que deveu fer quan es fa fosc. Però, si us plau, d'ara endavant aneu amb molt de compte.

—Gràcies, Tootsie.

—No, gràcies a tu, Amber.

—No, gràcies a vostè.

—No, gràcies a tu.

—Per l'amor de Déu, dona! SI US PLAU, pot servir-me l'esmorzar ARA?! —es va queixar amargament en Robin—. EM MORO DE FAM!

—És clar que sí, Robin! —va respondre la Tootsie, tot servint al noi un bol de cereals ressecs. S'havia acabat el te fred. A en George també li va tocar el mateix, i es va DEPRIMIR visiblement.

A continuació, la Tootsie va anar cap a la Sally. Sota el davantal duia amagada una petita bossa de plàstic.

—No ho diguis als altres —va xiuxiuejar la Tootsie—. T'he comprat una magdalena quan venia cap a la feina.

—Moltes gràcies, Tootsie —va xiuxiuejar la Sally—. En vols mitja, Tom?

En Tom estava commogut.

—No, gràcies. Menja-te-la tu. T'has d'enfortir.

—Jo sí que en vull mitja! —va dir en Geroge—. De fet, si vols, me'n puc prendre més de mitja!

—Deixa que la Sally es mengi la seva magdalena! —va dir en Tom.

—No passa res —va replicar la Sally.

En George va saltar del llit i la nena va partir la magdalena pel mig.

—Aquí la...

Però abans que la Sally pogués dir «tens», en George ja li havia pres de les mans la mitja magdalena i se l'havia cruspit d'una bocinada.

—Gràcies, Sally —va dir amb la boca plena—. Sempre estic disposat a ajudar.

En Tom va somriure, i llavors va desviar l'atenció cap al despatx de la matrona. La dona parlava per telèfon i semblava que estigués mantenint una discussió acalorada amb algú.

—Què t'ha dit la Tootsie, Amber? —va preguntar.

—Saben que algú ha baixat a la cambra frigorífica —va respondre la nena.

—Com ho han sabut? —va preguntar en Tom.

—Petjades. Marques de cadira de rodes. Ens estan seguint...

—Què esteu conspirant? —va voler saber la matrona. Els nens no l'havien vist arribar. Estava just a sobre dels seus caps.

—No res, matrona —va respondre l'Amber.

—Exacte, res en absolut —va afegir en Tom.

La matrona va estudiar-los els rostres, cercant-hi rastres de mentida. En Tom va notar que la cara se li tornava d'un vermell encès.

—No us crec! —va rugir la matrona—. Sé que en porteu alguna de cap!

CAPÍTOL 25

EL NOI PROTESTA MASSA

—Nosaltres no hem fet res, matrona. Si haguéssim fet alguna cosa, cosa que no hem fet, ens hauria ben enxampat. Però no hem fet res. D'acord? —va dir en George.

La matrona el va mirar als ulls. La dona no semblava gens convençuda.

—Crec que el noi protesta massa. Acabo de parlar amb el director de l'hospital. Sir Quentin Strillers en persona. I TREIA FOC PELS QUEIXALS! Sir Quentin ha dit que tres pacients de peu petit havien baixat a la cambra frigorífica en plena nit. I que també hi havia marques de cadira de rodes. Sé que heu estat vosaltres. Qui

més podria ser? I ara, algú de vosaltres, nens malvats, pensa confessar-ho?

Tots els nens es van quedar en silenci. Ningú no sabia com sortir del tràngol.

Aleshores, des del racó més allunyat de la sala, es va sentir una veu.

—Jo he passat tota la nit desperta, matrona. —Era la Sally—. I ells han estat dormint tota l'estona. De manera que no han pogut fer res!

—Jura-ho! —va dir la matrona.

—Ho juro, matrona! —La Sally es va posar la mà damunt del cor—. Ho juro per la vida del meu hàmster!

—Mmm... —va roncar la matrona. Ara ja no sabia com reaccionar—. Bé, heu de saber que us estic vigilant, a tots i cadascun de vosaltres. I ara, Tom...

—Sí, matrona? —va respondre el noi, tremolant de por.

—D'aquí a cinc minuts et duran a la sala de raigs X. Han de comprovar com tens aquest bony patètic que t'has fet al cap. Si estem de sort, seràs fora de l'hospital a l'hora de dinar.

—Sí, matrona —va respondre en Tom.

La dona va girar cua i va tornar cap al despatx.

En Tom es va estirar al llit, entristit. L'última cosa

que volia era deixar els seus nous amics de l'hospital. Per primera vegada a la vida, en Tom tenia la sensació que pertanyia a algun lloc. Els seus pares viatjaven tan sovint, a causa de la feina del pare, que era com si mai no hagués tingut una llar. I pel que feia al seu internat exclusiu, St. Willet's, per a en Tom era com una condemna de presó. Els dies i les setmanes anaven passant, i el noi sabia que estava malgastant la seva vida.

En Tom sentia afecte per tots els nens ingressats a la sala de pediatria, però sobretot per la nena petita del racó. Ella era especial.

—Gràcies per treure'ns d'aquest tràngol, Sally —va dir en Tom.

—Ha estat un plaer —va respondre la nena.

—Em sap greu per la vida del teu hàmster.

—No té importància —va dir la nena—. **No en tinc pas cap, de hàmster**.

I en Tom i la Sally van riure.

CAPÍTOL 26
GUST DE BASSAL

—Molt bones notícies! —va dir el doctor Luppers—. No tens res greu!

—És fantàstic —va respondre en Tom de la manera més poc convincent possible.

El doctor Luppers i en Tom es trobaven a la sala de raigs X. Sota la llum d'una làmpada, el metge li ensenyava una estranya foto transparent en blanc i negre del seu cap.

—En aquest contorn pots veure el bony del cap —va explicar en luppers—, però si mirem aquí, dins del crani...

Va treure un llapis i va senyalar una zona grisa allà on se suposava que hi havia el cervell d'en Tom.

—... aleshores no distingim cap zona ombrejada. Per això jo diria que no hi ha hemorràgia interna.

—N'està segur, doctor? —va suplicar el noi.

—Sí. Són unes notícies absolutament fantàstiques. No té cap sentit que et quedis aquí.

—No?

—Sí! Això vol dir que pots tornar immediatament a l'internat.

—Oh!

En Tom va abaixar el cap i no va dir res més.

En Luppers semblava absolutament sorprès perquè aquell nen estigués trist pel fet de poder marxar. Normalment, els pacients volien marxar de **L'HOSPITAL LORD FUNT** així que en tenien la més mínima oportunitat.

—Què passa, Tom? —va preguntar l'home.

—No res. És que...

—Què?

—Bé, és que havia fet molt bons amics a la sala de pediatria.

—Aleshores, demana que et donin les adreces abans de marxar i podeu ser amics per correspondència.

Ser amics per correspondència sonava avorrit. En Tom volia més aventures.

—Demanaré a la matrona que truqui de seguida al director de la teva escola perquè et passin a buscar tan aviat com sigui possible.

En Tom es va adonar que havia de pensar amb rapidesa si volia quedar-se i passar una altra nit d'aventures amb els seus nous amics.

—Estic molt calent, doctor! —va exclamar. A l'internat, tenir la temperatura alta sempre era sinònim de poder saltar-te una classe i jeure una estona a la infermeria. Era una manera especialment útil d'estalviar-se el repàs de matemàtiques dels dimecres a la tarda. En Tom havia vist un noi que posava la punta d'un termòmetre dins d'un radiador calent per fingir una malaltia.

—N'estàs segur? —va preguntar en Luppers. Va tocar el front del noi, sense gaire convenciment.

—Sí! Estic cremant, doctor! —va mentir el

noi—. Més calent que una tassa de te especialment calenta que està massa calenta per beure-se-la!

En Luppers es va treure un termòmetre de la butxaca i el va posar a la boca del noi. En Tom necessitava distreure'l d'alguna manera.

—Necessito un got d'aigua, doctor... —va barbotejar, amb el termòmetre a la boca—. És urgent! Si no, com que estic tan calent, entraré en combustió espontània!

—Déu meu! —va respondre en Luppers amb un punt de pànic a la veu. Mentre l'home aletejava per la sala de raigs X com un ocell engabiat, en Tom es va treure el termòmetre de la boca i el va acostar a la bombeta roent. De seguida, la temperatura va pujar considerablement. Aleshores el noi es va tornar a col·locar el termòmetre a la boca, i en fer-ho es va cremar la llengua.

En Luppers va tornar amb un gerro de flors.

—No trobava cap got. Temo que això és el màxim que et puc oferir, per ara.

En Luppers va treure el termòmetre de la boca del noi i les flors del gerro. L'aigua tenia un color verdós i uns trossos marrons s'acumulaven al fons.

—Acaba-te-la tota! —va ordenar en Luppers.

A contracor, el noi va començar a glopejar el líquid repugnant.

—Fes glops grans, si us plau! —va dir en Lup-
pers—. Fins a l'última gota!

En Tom va tancar els ulls i se la va acabar tota. Te-
nia gust de bassal. Mentrestant, el doctor Luppers
estudiava la temperatura que marcava el termòme-
tre, horroritzat.

—Oh, no!

—Què? —va fer en Tom.

—És la temperatura més alta que mai s'ha regis-
trat en un ésser humà!

En Tom va tenir por d'haver exagerat.

—Creu que em donaran algun premi, doctor? —va preguntar.

—No! Però t'haurem de mantenir ingressat a l'hospital fins que la temperatura baixi a un nivell normal.

En Luppers va treure un formulari mèdic i va començar a prendre notes.

—Tens mal de cap?

—Ai! Sí.

—Febre?

—Sí! Estic cremant!

—Suor freda?

—Sí, de sobte estic glaçat.

—Et fan mal les articulacions?

—Aaah. Sí.

—Visió borrosa?

—Sí, però, qui parla?

—Gola seca?

—Tan seca que em costa respondre.

—Cansament excessiu?

—No tinc energia per respondre.

—Problemes d'oïda?

—Ho sento, ho pot repetir?

—Dolor en empassar-te aigua?

—Sí, em fa mal fins i tot quan passo al costat d'una peixera.

—Indecisió crònica?

—Sí i no. Doctor, digui el que vulgui, que jo ho tinc!

En Luppers estava suant. Dominat pel pànic, se li va trencar la veu.

—Ostres! Ostres, ostres! Ostres, ostres, ostres! És un miracle que encara siguis viu. Haurem de fer centenars de proves. Proves cardíaques. Proves sanguínies. Proves cerebrals. Farem totes les proves que existeixin. I després et tornarem directament a la sala de pediatria!

En Tom no ho va dir en veu alta, però interiorment va cridar un VISCA! gegantí.

—Infermera! INFERMERA! —va cridar el metge, que semblava a punt de desmaiar-se.

La infermera Meese, que s'havia ocupat de l'ingrés d'en Tom quan havia arribat a l'hospital, va córrer cap a la sala de raigs X.

—Què passa, ara, doctor?

—És una emergència! Aquest noi s'ha de fer un munt de proves. Ara mateix!

—Quines proves?

—Totes! Qualsevol que se li acudeixi! ARA!

ARA! ARA! —va barbotejar en Luppers—. Vagi a buscar dues lliteres!

—Per què en necessita dues? —va preguntar la Meese.

—Perquè estic a punt de desmaiar-me!

Mentre esperava que sortissin tots els resultats de la llista extremament llarga de proves que li havia encarregat el doctor Luppers, en Tom va fer repòs seguint les ordres estrictes de la matrona. La temperatura del noi era tan alta que tenia prohibit sortir del llit sota cap circumstància. Primer de tot, els metges de **L'HOSPITAL LORD FUNT** havien d'esbrinar el que tenia. Pel que feia a en Luppers, el metge acabat de llicenciar s'havia espantat tant que s'havia desmaiat. En menys d'una setmana a l'hospital, havia passat de metge a pacient.

Quan en Tom va tornar a ser al llit, la Sally es va girar cap a ell i va dir:

—Vinga, Tom, digue'm...

—Què vols que et digui?

—... què vau fer la nit passada.

En Tom va dubtar.

—Temo que no t'ho puc dir —va dir.

—Però m'ho vas prometre.

—Ja ho sé. Ja ho sé. Ja ho sé. Mira, ho sento molt, Sally, però els altres m'han dit que havia de ser un secret.

—Què havia de ser un secret?

—La cosa secreta.

—Quina és la cosa secreta?

—Dona, si t'ho digués ja no ho seria, de secreta.

—Molt bé, doncs —va respondre la nena. Semblava que no tenia cap intenció de fer-se enrere—. Què hi fèieu, a la cambra frigorífica, ahir a la nit?

Era evident que l'Amber estava escoltant d'amagat la conversa, perquè s'hi va afegir.

—Per l'amor de Déu, Sally, els adults ens vigilen. El director de l'hospital sap que n'està passant alguna. Per això, com menys gent ho sàpiga, millor. Si t'assabentes de tot, tu també tindràs problemes.

—Però a mi m'encantaria tenir problemes! No suporto quedar-me aquí tota sola mentre vosaltres sortiu i us divertiu.

—És millor que no ho sàpigues —va respondre l'Amber.

—Però no ho diré a ningú —va suplicar la Sally—. La nit passada us vaig ajudar, te'n recordes?

—Sí, sí, i t'ho agraeixo molt —va dir l'Amber—. Potser necessitarem que ens tornis a cobrir, aquesta nit.

—Tornarem a sortir aquesta nit? —va preguntar en Tom. No podia creure que s'hi volguessin arriscar.

—Sí! —va cridar en George des de l'altra punta de la sala de pediatria mentre endrapava xocolatines—. Aquesta nit em toca a mi!

—Què faràs? —va preguntar en Tom.

—Volar! —va respondre en George.

—Oh, no, si us plau! —va dir en Robin.

—Què vols dir, amb això? —va voler saber en George.

La matrona devia haver sentit que havien alçat la veu, perquè va sortir apressadament del despatx.

—Què està passant, ara? —va preguntar.

—No res, matrona! —va respondre l'Amber—. Res de res.

—De debò? No res, ja ho veig. Sembla que tinc una sala plena de petits mentiders desagradables. Bé, aviat acabaré el meu torn. La infermera Meese serà aquí de seguida. S'encarregarà de la sala de pediatria fins que es faci de nit. Aleshores, tornaré. Si la infermera Meese ha d'informar del mal comportament d'algun de vosaltres, faré que us expulsin d'aquí i us traslladin a hospitals separats. M'heu entès?

—Sí, matrona —van afirmar tots els nens a l'unison.

—Bé —va roncar la matrona—. Sally, aviat hauràs de baixar a rebre el tractament.

—És obligatori? —va preguntar la nena.

—Estúpida! —va etzibar la matrona—. Sí, és clar que ho és! Per què creus que ets aquí? Per passar-ho bé?

—No, matrona —va respondre la nena.

En aquell instant, les portes altes de l'extrem de la

sala es van obrir de bat a bat. La infermera Meese va entrar i va dir:

—Bon dia, matrona. Bon dia, nens.

—Bon dia, infermera Meese —van dir els nens, tots alhora.

—Bon dia, Meese —va dir la matrona.

—Com tens la temperatura, Thomas? —va preguntar la infermera. Pel to de veu, semblava que sospités que el noi estava fingint. Tenia molta més experiència que el metge nou, en Luppers, i, per tant, era molt més difícil d'engalipar.

—Continua sent increïblement alta, infermera —va respondre en Tom.

—Aquest nen no ha de sortir del llit! —va dir la matrona—. Per cap motiu!

—Sí, matrona. Pot confiar en mi. Me n'asseguraré —va dir la infermera Meese, tot esguardant el noi amb suspicàcia.

CAPÍTOL 28
EL SOMNI IMPOSSIBLE

Aquella tarda, els Amics de Mitjanit van començar a planejar l'aventura de la nit. El somni d'en George era volar. Per aconseguir-ho, caldria pensar-ho molt bé. Sobretot tenint en compte que els alts comandaments de l'hospital estaven en alerta màxima.

Amb la Sally als pisos inferiors rebent el seu tractament especial i la infermera asseguda al despatx de la matrona, els nens es van posar a fer feina.

La sala de pediatria de **L'HOSPITAL LORD FUNT** disposava d'uns quants jocs de taula vells i destarotats. Hi havia un joc de parxís sense daus, un trencaclosques d'una gateta blanca jugant amb uns globus amb algunes peces de menys, i un joc de metges i malalts sense piles, de manera que el nas del pacient mai no es posava vermell.

En Tom, l'Amber, en George i en Robin van fer veure que feien el trencaclosques plegats mentre parlaven en veu baixa sobre l'aventura de la nit.

—Potser podríem fabricar un avió sense motor amb llençols i pals de cortina? —va suggerir en Robin—. El conserge ens podria ajudar a muntar-ho tot.

—Però des d'on el llançaríem? —va replicar l'Amber—. A l'hospital no hi ha cap punt prou alt.

—Hi ha el pou de l'escala —va dir en Robin—. Aquest hospital arriba als quaranta-quatre pisos. La caiguda deu ser força llarga.

—D'això... disculpeu —va dir en George—. Jo vull volar, no morir-me!

—Tindries l'avió —va respondre en Robin.

—Home, tindria uns quants llençols i pals lligats. No és el mateix! —va dir en George, una mica massa fort.

Tots els ulls es van girar cap al despatx, però la infermera Meese estava enfeinada repassant la paperassa.

—Bé, doncs potser no hauries de tenir un somni tan impossible! —va remarcar l'Amber.

—Però sempre ha estat el meu somni. No m'agrada ser tan gras. —En George es va picar l'estómac, que va tremolar com si fos gelatina durant uns quants segons—. Vull sentir-me lleuger com la brisa.

En Tom ho havia estat escoltant tot, cercant mentalment una resposta. Mentre col·locava una peça del trencaclosques a la tauleta que tenia al davant, es va adonar que tenien la resposta davant dels nassos.

—Globus! —va dir.

—Com? —va preguntar en George.

—Anem cap amunt, no cap avall! —va dir en Tom.

—Si us plau, pots fer el favor d'explicar-te, noi nou?! —va dir l'Amber.

—Sabeu aquells globus especials que volien a les festes d'aniversari? —va començar en Tom, ensopegant amb les paraules de tant excitat que estava.

Els altres nens van assentir.

—Bé, doncs si n'aconseguíssim un nombre prou important, en George podria començar a la part més baixa del pou de l'escala i anar pujant!

En George va somriure.

—Tom! M'encanta!

—Hi ha prou globus a la Gran Bretanya? —va preguntar en Robin.

—Molt graciós! —va respondre en George.

—M'hi jugo el que vulgueu que n'hi ha prou d'escampats per aquest hospital —va replicar en Tom—. Els pacients sovint els lliguen als llits. Allà mateix n'hi ha un!

Amb la mirada, en Tom va indicar el llit de la Sally. Un globus solitari, amb la frase «Que et recuperis aviat» escrita amb lletres d'impremta, estava lligat al capçal. Flotava en l'aire i gairebé tocava el sostre.

—Quina gran idea que acabo de tenir! —va dir l'Amber. Era evident que la noia intentava tornar a prendre el comandament i no li agradava que el noi nou li robés el protagonisme.

—Quina? —va protestar en Tom.

—Estava a punt de proposar això de fer servir globus just abans que ho fessis tu —va mentir.

—Segur que sí! —va dir en Tom.

—Si us plau, senyoretes, no ens empipem! —va bromejar en Robin.

—Hi deu haver centenars de globus com aquest per tot l'hospital —va dir en George, emocionat—. A la botiga de regals de la planta baixa se'n venen molts. Jo hi vaig sovint, sense que ningú no se n'adoni, per comprar un parell de xocolatines. Només cal que els robem!

—Deus voler dir agafar-los en préstec! —el va corregir en Tom.

—Sí, el noi té raó —va afegir en Robin—. Agafar-los en préstec. És una expressió molt més bonica que «robar».

—Quan n'hàgim «agafat en préstec» un nombre suficient —va dir en George—, em podré enlairar fins al capdamunt del pou de l'escala. Per fi podré volar!

Aquesta idea feia brillar de joia el rostre d'en George. El pla era tan senzill que semblava perfecte.

—Anem a dir-ho al nostre company, el conserge!

Ara l'únic que havien de fer els nens era agafar centenars i centenars de globus remenant cada racó de l'hospital. Sense que ningú no els enxampés.

CAPÍTOL 29

GLOBUS, GLOBUS I MÉS GLOBUS

Quan es va fer fosc, les entremaliadures dels quatre amics van començar.

La matrona havia tornat a la nit, a punt per començar el seu torn. Com que aparentment els nens s'havien portat bé al llarg de tot dia acabant el trencaclosques, la infermera Meese no va haver d'informar de res.

No feia gaire estona que la matrona havia arribat a la sala de pediatria quan va confiscar una altra de les capses de bombons secretes que el quiosquer Raj havia fet arribar a en George. Aleshores es va retirar al despatx per endrapar els seus favorits, que eren els que tenien l'embolcall morat. Una vegada més, en George havia introduït una de les seves boletes somníferes especials en cadascun dels bombons. Al cap de pocs minuts, la matrona ja roncava tan fort com un elefant.

—ZZZZZZZZZZZZzzz!

Aquesta part del pla els funcionava sempre a la perfecció.

Ara els Amics de Mitjanit havien d'aconseguir tots els globus de l'hospital. Necessitaven globus, globus i més globus.

Els nens es van dividir en tres equips.

L'Equip U eren l'Amber i en Robin. S'ajudarien i cobririen tot el terreny des de la sala de pediatria, al capdamunt de **L'HOSPITAL LORD FUNT**, fins a la planta número trenta.

L'Equip Dos era en George. Treballaria sol i s'ocuparia de les plantes vint-i-nou a setze.

L'Equip Tres el formaven en Tom i el conserge. La seva tasca seria la més perillosa, ja que haurien de recollir tots els globus possibles de la planta quinzena a la planta baixa, inclosa la botiga de regals, on es venien uns grans rams de globus d'heli.

A mitjanit, quan les campanes del Big Ben van haver tocat dotze vegades, els nois van baixar dels llits sense fer gens de soroll, van treure l'Amber del seu i la van asseure a la cadira de rodes. En Tom i en George van sortir de puntetes de la sala per la porta doble.

—El primer globus que hem d'arreplegar és allà, just a la teva esquerra —va xiuxiuejar l'Amber a en Robin.

Tot i que no podia veure res, en Robin sabia que es referia al que hi havia lligat al llit de la Sally.

—Amber! Si us plau! —va xiuxiuejar el noi.

—Què? —va protestar ella.

—Sé que t'has escollit tu mateixa com a líder de la colla, però no podem agafar el globus de la Sally!

—Per què no?

—Perquè no podem!

—Robin! En necessitem tants com puguem. Acompanya'm ara mateix fins al seu llit!

—No!

—Ara mateix!

De la foscor va emergir una veu.

—No passa res. El podeu agafar.

—Sally? —va preguntar l'Amber.

—Sí. M'és igual. Per a què el necessiteu? Una altra aventura?

En Robin va acostar l'Amber al llit de la nena.

La Sally semblava més feble que mai. Tot i que l'ajudava a recuperar-se, el tractament sempre feia que es trobés pitjor durant un temps. Aquella nit estava especialment pàl·lida.

—Només volíem «agafar en préstec» el globus —va respondre l'Amber.

—Agafeu-lo. No el necessito. L'única cosa que fa és giravoltar tot el sant dia.

—Bé, gràcies, Sally, ets molt amable —va dir en Robin—. Guia'm la mà fins al cordill perquè el pugui deslligar.

Sota la mirada de l'Amber, la Sally va agafar la mà del nen i la va guiar fins al cordill. Però no la va deixar anar.

—Porteu-me amb vosaltres —va dir la Sally.

En Robin va començar a deslligar el globus.

—Ho sento molt, Sally —va començar l'Amber—, però em sembla que no pots venir amb nosaltres.

—Per què no? —va preguntar la nena.

—Mira, si t'entestes a saber-ho, tenim una colla secreta, però està completa, i ara mateix no cerquem membres nous.

—Però tot just heu admès en Tom! —va protestar la Sally. La nena tenia raó—. Feia només una nit que era a l'hospital i ja va poder anar d'aventures amb vosaltres.

—Bé, és que... —L'Amber s'esforçava per trobar les paraules—. Aquest va ser un cas diferent.

—Per què? —va exigir la nena.

—Perquè... perquè... perquè, si ho vols saber, Sally, ens faries anar massa lents! —va respondre l'Amber.

En sentir això, una llàgrima solitària va caure per la galta de la Sally.

A l'Amber li van venir ganes de posar-se a plorar. Era tan trist veure la Sally amb el cap calb i la pell tan pàl·lida que feia que semblés una peça de porcellana. Una peça de porcellana que havies de manejar amb gran delicadesa perquè no es trenqués.

—Ho sento —va dir l'Amber—. Ara t'abraçaria, però com pots comprendre és impossible perquè tinc els braços enguixats.

En Robin, els comentaris sarcàstics del qual amagaven un vessant més tendre, va acaronar el cap de la Sally.

—Ho entenc —va dir la Sally—. Estic acostumada que em marginin de totes les coses. Des que van saber que tenia aquesta malaltia, em van començar a dir que no podia fer això o allò. Però haver de passar el dia sencer ajaguda al llit és molt avorrit. Vull tornar a ser una nena petita i a passar-m'ho bé —va sospirar—. Si us plau, endueu-vos el globus i tingueu l'aventura més meravellosa possible, sigui quina sigui. Però m'heu de prometre una cosa...

—El que vulguis —va respondre l'Amber.

—... Porteu-me amb vosaltres la pròxima aventura. Si us plau! Aleshores ja estaré prou recuperada. N'estic segura. Ho prometo.

L'Amber va somriure, però no va dir res.

No volia donar falses esperances a la nena. Aleshores va ordenar a en Robin que es posés en moviment.

—Vinga, vinga, Robin! Som-hi! Hem d'anar passant.

—Ho sento, Sally —va dir en Robin.

I d'aquesta manera, subjectant amb una mà el globus de la nena, va empènyer la cadira de rodes de l'Amber més enllà de les pesades portes batents.

—AI! —va cridar l'Amber quan les cames embenades van picar amb força contra les portes.

—Ho sento! —va cridar en Robin.

La Sally va fer una rialleta mentre esguardava la parella que s'allunyava.

—Bona sort, colla! —va dir.

CAPÍTOL 30

UN VELL AMIC

Mentrestant, l'Equip Dos, o «George», com també era conegut, estava molt enfeinat recorrent els pisos que li corresponien. El noi s'arrossegava de quatre grapes per totes les sales.

En George ja tenia una bona quantitat de globus,

que havia anat «agafant prestats» dels pacients. Tots duien la frase «Que et milloris aviat», i probablement eren obsequis d'algun ésser estimat. No obstant això, en George estava massa excitat per sentir cap mena de culpa. Amb cada globus, s'acostava més al seu somni de volar. La part més difícil era subjectar tots aquells globus mentre deslligava els altres. Aviat, en George va tenir una bona quantitat de manats de globus lligats als braços i a les cames. Però encara en necessitava més i més i més.

Just quan sortia arrossegant-se de l'última sala del pis vint-i-nou, una veu el va cridar...

—George?

El nen hauria reconegut aquella veu a qualsevol lloc. Era la veu del quiosquer del seu barri.

—Raj?

—Sí! Sóc jo, en Raj. George! El meu client favorit! Vas rebre les capses de bombons que et vaig enviar?

—Sí, moltes gràcies!

—Em vaig preocupar molt quan vaig saber que t'havien de treure les amígdales.

—Ara ja em trobo molt millor, gràcies, Raj. Els bombons m'han fet molt feliç.

El quiosquer va somriure.

—Bé, bé, bé i una altra vegada bé! No hi ha dubte que eren les millors capses de bombons que tenia a la botiga. Eren restes de fa uns quants Nadals. Només estaven caducades de tres o quatre anys.

—Igualment, va ser un detall molt bonic de part teva, company.

—Torna aviat, George. Els ingressos han baixat des que no passes per la botiga.

—Ho faré! —va respondre el noi, amb una rialleta—. I tu què hi fas, a l'hospital?

El quiosquer seia incorporat al llit, en pijama i amb els dits embenats.

—Fa un parell de vespres vaig patir un accident greu amb una grapadora. Era a la botiga grapant preus als productes. Tenia algunes ofertes molt especials. Cent llapis pel preu de noranta-nou. Un *toffee* de regal, absolutament de franc, per la compra d'una tona de *toffees*. Felicitacions d'aniversari amb els noms ratllats amb típex, a meitat de preu. I, encara no sé com, em vaig grapar els dits.

—Ai! —va exclamar en George—. Això sona molt dolorós.

—I ho va ser —va dir en Raj en un to fúnebre—. No ho aconsellaria a ningú, grapar-se els dits!

—Ho tindré en compte, company. Bé, m'encantaria quedar-me a fer petar la xerrada, però...

Quan en George començava a escapolir-se, en Raj el va tornar a cridar.

—George?

—Sí, company?

—Què fas, amb tots aquests globus?

—Ehem, d'això... —va barbotejar en George—. Són meus, saps?

—De debò?

—Sí.

—Tots?

—Sí, company.

El quiosquer no semblava gaire convençut.

—Aquell d'allà diu «Que et milloris aviat, mama» —va dir.

—Es deuen haver equivocat a la botiga de globus.

—Mmm! —va fer en Raj, amb suspicàcia—. I què hi fan, aquí, tots aquests globus? La sala de pediatria és al pis de dalt de tot de l'hospital.

En George es va quedar pensant un moment.

—Han anat avall, oi?

—Però aquests globus només s'enlairen cap amunt!

—Bé, no em puc quedar tota la nit de xerrameca —va dir en George, que ja feia mitja volta per tocar el dos.

—Per cert, client favorit, pots fer un favor al teu quiosquer favorit? —va preguntar l'home.

—Ho sento, company, me n'he d'anar.

—Només és un moment, gràcies, molt amable, George, client meu favorit.

—Què és, doncs? —va sospirar el noi.

—Veuràs, el menjar de l'hospital resulta xocant. Una dona molt agradable anomenada Tootsie passa amb un carretó prometent que hi porta de tot. Demanes una cosa i després resulta que només té un triangle de formatge i una bosseta de salsa.

—Sí, ja ho sé. I a nosaltres ens encanta la teca.

—Ja ho pots ben dir! —va dir en Raj, colpejant-se la panxa—. Per això, com a agraïment pels bombons, si us plau, podries portar una mica de menjar per emportar al teu quiosquer favorit? Trucaria jo mateix per demanar-lo, però des de l'incident de la grapadora no puc fer servir els dits!

Dit això, en Raj li va mostrar els dits embenats.

—Puc tornar més tard, company?

—Tinc por que aleshores ja m'hagi consumit —va dir, tocant-se una altra vegada la panxa grossa i rodona, prou gran per encabir-hi una pilota de platja—. Si us plau, pots agafar-me ara mateix la comanda?

—Cal que l'apunti?

—No, no, no, només són un parell de coses. Serà molt fàcil de recordar.

—OK —va respondre el noi—. Dispara...

—Gràcies. Voldria un bhaji de ceba, samosa, jalfrezi de pollastre, aloo chaat, tandoori masala de llagostins, papadums...

—M'estàs tornant boig! No ho podré recordar, tot això... —el va interrompre el noi. Però els ulls d'en Raj brillaven, i pensar en totes aquelles menges delicioses li feia venir aigua a la boca.

—No, no, no, és clar que ho podràs recordar. No-més falten un parell de coses més... balti de verdu-res, peshwari naan, chapati, aloo gobi, matar pan-er, tarka dhal...

—Necessito un llapis i un paper! —va dir en George nerviós.

—Papadums...

—Els papadums ja els has dit abans, company!

—Sí, ja ho sé, és que en vull dues racions, de pa-padums! Chutney de mango, paneer masala, arròs pilau, bharta, chana aloo, rogan josh de xai. Em sembla que això serà tot. He dit papadums?

—SÍ! DUES VEGADES!

—Bé, és que mai no n'hi ha prou, de papadums. De fet, que siguin tres racions de papadums. I ara, torna-m'ho a recitar tot!

Quan en George va aconseguir fugir finalment de l'habitació d'en Raj, es va adonar que el millor que podia fer era demanar tots els plats de la carta al res-taurant indi més proper. I demanar també quatre porcions de papadums per si de cas amb tres no n'hi havia prou.

Quan va haver sortit al passadís, en George va cridar l'ascensor per anar a la planta baixa. Allà hauria de trobar-se la resta de la colla, a la base del pou impossiblement alt de l'escala.

*PIN*G!

Les portes de l'ascensor es van obrir. A dins hi havia la dona de fer feines, la fumadora empedreïda que els Amics de Mitjanit havien conegut la nit abans. La Dilly s'aferrava al mànec d'una màquina polidora de terra i com sempre tenia un cigarret adherit al llavi inferior. Quan va veure en George amb cent globus lligats als braços i les cames, va obrir la boca, astorada.

El noi duia tants globus que ja començava a sentir-se una mica més lleuger. El cap d'en George, amagat pels globus, amb prou feines era visible.

—Quina una en portes de cap, ara? —va voler saber la dona. Un caminet de cendra va caure del cigarret a terra.

—Ah, hola de nou! —va respondre en George alegrement—. La inspecció de neteja de la nit passada va donar un resultat positiu, de manera que l'animo a continuar la bona feina. També és veritat que vam trobar una mica de cendra de cigarret a terra. No estàvem segurs de si era seva...

—Nen, què fas, amb tots aquests globus? —va preguntar la Dilly—. M'estan entrant ganes de petar-los tots amb el cigarret!

Aquella excusa segons la qual havien «anat cap avall» no havia funcionat gaire amb en Raj, de manera que en George va improvisar una altra explicació.

—Els he de portar a un pacient extremament popular. Rep milers de globus cada dia. No es preocupi, ja agafaré el proper ascensor.

PING!

Les portes es van tancar als nassos de la dona.

Frustrat, en George va picar a terra amb els peus. Un membre del personal de l'hospital l'havia vist

fora del seu llit en plena nit. La colla dels Amics de
Mitjanit hauria d'actuar amb rapidesa si en George
volia fer realitat el seu somni.

CAPÍTOL 31

L'INFANT MÉS VELL DEL MÓN

Mentrestant, unes quantes plantes més avall, l'Equip Tres avançava per les sales plenes de pacients que dormien a la recerca de globus. En Tom i el conserge tenien dificultats per arrossegar-se per terra de quatre grapes per evitar que els veiés algú. El que ho feia encara més difícil era que tots dos duien dotzenes de globus lligats al cos.

Passada la mitjanit, l'únic soroll que se sentia eren els roncs dels pacients, molts dels quals eren ancians.

—ZZZZZZZZZzzzzzz...

Les infermeres eren a la seva sala, però com que a la nit no tenien gaires coses a fer, algunes s'havien quedat adormides i d'altres llegien llibres. Just quan en Tom i el conserge sortien arrossegant-se per les grans portes batents del final de la sala, van sentir una dona gran que els cridava.

—Oooh! Quins globus tan macos! Són per a mi?

En Tom va mirar el conserge, que es va posar el dit als llavis per indicar-li que fes el mínim soroll possible.

—Són per a mi?, he dit. M'encanten els globus.

Aquesta vegada, la veu parlava en un to més alt. Era impossible ignorar-la. Hi havia la possibilitat que les infermeres que feien una becaina a pocs metres de distància es despertessin si la senyora tornava a parlar.

En Tom va alçar la vista. Una dona molt molt vella seia incorporada al llit. Tenia el rostre arrugat i els cabells blancs com la neu. A diferència de la majoria de pacients, no tenia targetes ni flors al costat del llit. La seva tauleta de nit estava completament buida, a llevat d'una gerra d'aigua i un got de plàstic.

—Anem! —va dir en Tom al conserge. El noi volia continuar endavant, però el conserge semblava indecís.

L'home va negar amb el cap.

—Senyor Tom, no podem ignorar-la.

—En tota la meva vida no havia vist mai uns globus tan bonics. M'encanten! —va dir la velleta—. Qui me'ls envia? Ha estat el pare?

La dona devia tenir noranta anys, potser més i tot. Era com si el temps l'hagués encongit, com una peça de fruita abandonada al sol. En Tom es va adonar que no era solament el cos de l'anciana el que s'havia afeblit. La seva ment també ho devia haver fet, si es pensava que el seu pare encara vivia. Era impossible.

En Tom no sabia què havia de fer ni què havia de dir.

Nelly

Llavors es va aixecar de terra, amb els globus rebotant-li al voltant, i va xiuxiuejar al conserge:

—El seu pare no pot ser viu, oi que no?

—No. És clar que no —va respondre l'home—. La Nelly té noranta-nou anys, i no li queda família.

—Què farem amb els globus? —va preguntar en Tom.

—La Nelly es pensa que encara és una nena petita. Li hem de seguir el joc. Deixi'm a mi.

El conserge es va girar cap a l'anciana.

—Sí, Nelly, els hi envia el seu pare.

Va passar a la velleta el globus que tenia més a prop. Concretament aquell l'havia agafat uns quants

llits més enllà. Estava una mica desinflat i hi duia escrit «T'estimo, avi». Però a la Nelly no li va importar. L'expressió de la dona es va il·luminar quan va subjectar el cordill.

—Oh, aquest m'encanta. És absolutament preciós! —va dir embadalida—. I tu ets preciós per haver-me'l portat.

En Tom va mirar el conserge. El noi va suposar que era la primera vegada que algú li deia que era preciós.

—El pare t'ha deixat algun missatge per a mi? Saps quan em vindrà a buscar?

Com que el conserge no sabia què dir, en Tom va intervenir.

—Aviat, Nelly —va dir el noi—. El veurà molt aviat.

—De debò?

—Sí. De debò —va respondre en Tom.

—Visca, visca!

La velleta va somriure i va semblar que els anys es fonien. Era realment com si tot d'una tornés a ser una nena petita.

—Hem de marxar —va dir en Tom.

—Esteu repartint globus a altres nens com jo, avui, a l'hospital? —va preguntar la dona.

—Sí —va dir en Tom amb la veu ronca per l'emoció—. Això és exactament el que estem fent.

—Esplèndid —va respondre ella—. En teniu molts. Aneu amb compte de no sortir volant. Ha! Ha!

En Tom i el conserge van intercanviar una mirada. La dona anava un pas per davant d'ells.

—Hem de marxar! —va anunciar el conserge.

—Torneu aviat a visitar-me —va dir la dona amb els ulls meravellats per la nova joguina.

La parella es va escapolir per les altes portes batents, i els núvols de globus van seguir-los el deixant.

CAPÍTOL 32
LLADRES DE GLOBUS

Ja eren les dues de la matinada i feia hores que havien tancat la botiga de regals de l'hospital. En Tom va enganxar la cara al vidre de la porta. A dins hi va veure els grapats enormes de globus que tenien a la venda. Tots estaven acabats d'inflar i s'arraïmaven contra el sostre com un gotim de raïm gegantí.

—Això és el que hem d'aconseguir, jove senyor Tom —va afirmar el conserge.

—Però com entrarem a la botiga? —va preguntar el noi—. Està tancada amb clau!

—No ho sé —va respondre l'home—. Però ho hem de fer. El temps passa i no podem decebre el jove senyor George. Aquesta és la seva gran nit.

Es va sentir el zumzeig d'una mena de màquina a l'extrem més allunyat del passadís.

WHIRRR.

Era la Dilly, la dona de la neteja.

En Tom i el conserge es van mirar aterrits i es van amagar rere la paret de la botiga de regals.

La Dilly caminava lentament pel passadís, tot passant l'enceradora pel terra i deixant caure la cendra del cigarret a mesura que avançava. Aleshores va apagar l'aparell, es va treure de la butxaca un clauer ple de claus i va obrir la porta de la botiga.

Després va tornar a engegar la màquina.

WHIRRR.

La Dilly va començar a encerar el terra de l'interior de la botiga de regals, sense deixar de repartir cendra per tot arreu.

Els lladres de globus van compartir un somriure. Era la seva gran oportunitat.

El zumzeig de l'aparell era tan fort que va tapar el soroll de les seves passes quan van entrar a la botiga.

WHIRRR.

En veure que la Dilly estava d'esquena, es van afanyar a anar cap a l'extrem més allunyat de la botiga, on hi havia els globus. Tots dos en van engrapar tants manats com van poder, i els van afegir al botí impressionant que ja havien acumulat.

WHIRRR.

Però, just quan arribaven a la porta de la botiga, el so de l'aparell es va aturar del tot.

En Tom no va gosar mirar enrere.

—Ei! —va cridar la Dilly—. Què passa amb els globus, aquesta nit? M'heu de dir què caram està passant! Ara mateix!

—Ah! Hola, jove senyoreta Dilly! —va saludar el conserge.

—És vostè! —va exclamar la dona de la neteja—. Ho hauria d'haver sabut. Sempre està rondant per l'hospital, fent de les seves.

—No és pas això! —va replicar el conserge, i va fer un gran esforç per reordenar el seu rostre deformat i dibuixar-hi un somriure—. El jove senyor Tom i jo mateix només porten aquests globus a la sala de pediatria.

—Per què? —va exigir la dona de fer feines.

—Estic organitzant un concurs de globus d'animals! —va dir el conserge.

—En plena nit?!

—Principalment estem fent teixons i mussols, i com estic segur que ja deu saber, són criatures nocturnes i, per tant, només surten de nit —va afegir en Tom.

—No em crec ni una paraula del que esteu dient! Tots dos esteu mentint. Aquests nens sempre en porten alguna de cap. No teniu cap dret a robar aquests

globus. Us denunciaré ara mateix al personal de seguretat de l'hospital!

—Oh, no! Què podem fer? —va suplicar en Tom.

—Fugir cames ajudeu-me! —va respondre el conserge.

Tots dos va sortir corrents de la botiga, amb el conserge arrossegant la cama atrofiada darrere seu.

En veure que el clauer penjava del pany de la porta, en Tom va fer girar la clau i va tancar la pobra dona de la neteja a dins.

Furiosa, la Dilly va començar a colpejar la porta de vidre.

ZUD!

ZUD!

ZUD!

ZUD!

—DEIXEU-ME SORTIR! —va cridar, tot deixant caure la cendra del cigarret que li penjava de la boca.

Però la parella de lladres ja es trobava a mig passadís, i s'allunyava amb el seu immens botí de centenars de globus.

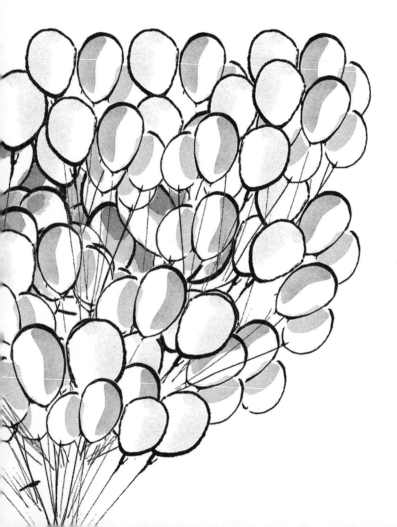

CAPÍTOL 33

LA VELLA VOLADORA

—FEU TARD! —va cridar l'Amber quan en Tom i el conserge van arribar amb la llengua fora. En George estava plantat al seu costat i tampoc no semblava gaire complagut. Tots tres equips s'havien reunit finalment al fons del forat de l'escala, que pujava des de la part més baixa de l'hospital fins al capdamunt de tot. Tots els membres de la colla subjectaven enormes manats de globus. Per descomptat, pel fet de ser la líder no oficial dels Amics de Mitjanit, l'Amber havia de dur més globus que ningú. En de-

via tenir dos-cents o tres-cents. Tots aquests globus estaven lligats a la cadira de rodes, i n'hi havia tants, que fins i tot l'aixecaven una mica de terra. Amb un globus més potser s'hauria enlairat. Era clar que en Robin i ella havien dedicat tots els esforços a aconseguir que el somni d'en George es fes realitat.

—Ho sento! —va dir en Tom quan ell i el conserge van arribar. Dret a la part inferior del forat de l'escala, en Tom va poder fer-se una idea, finalment, de l'alçària increïble de l'edifici de **L'HOSPITAL LORD FUNT**. En mirar cap amunt es va marejar. Una escala gegant s'enfilava des de baix de tot fins al cim de l'hospital. Devien ser mil esglaons en total, i el sostre era una claraboia gegant de vidre. A través d'ella, en Tom podia veure les estrelles que espurnejaven al cel nocturn.

Tots els rostres resplendien d'emoció. Estar llevats a aquella hora de la nit sempre resultava molt excitant.

—Molt bé. Tots vosaltres doneu-me els globus! —va anunciar en George. No es podia esperar ni un instant més.

—Paciència, jove senyor George! —va dir el conserge—. És una operació delicada. Hem de calcular el nombre just de globus. Si ara els agafa tots, potser sortirà propulsat com un coet.

—Això és exactament el que vull! —va protestar el noi.

—Segurament seria una gran cosa —va comentar en Robin.

Si esteu pensant a fer volar* el vostre animal de companyia, aquest és el nombre de globus que us cal:

Un jerbu: 7 globus.

Un conill: 31 globus.

Un hàmster: 12 globus.

Una tortuga: 39 globus.

Un gat: 47 globus.

Un gos: 58 globus.

* Si us plau, pregunteu-ho primer a l'animal, perquè n'hi ha alguns que s'estimen més quedar-se a terra.

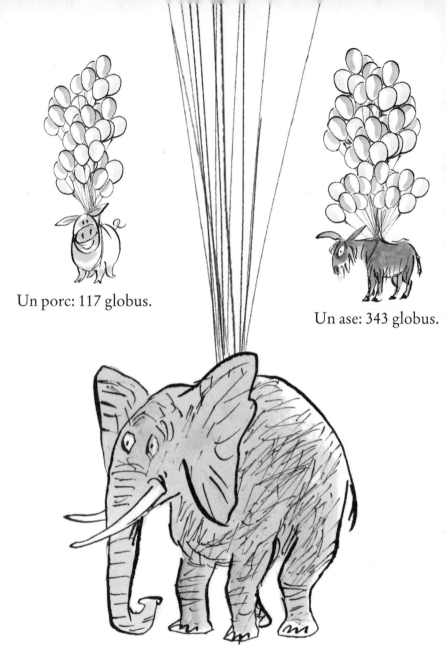

Un porc: 117 globus.

Un ase: 343 globus.

Un elefant: 97.282 globus.

Una balena blava: 3.985.422 globus.

—Jo ja m'estic enlairant! Mireu! —va dir l'Amber. La nena s'havia separat uns centímetres de terra—. I això amb el pes de la cadira de rodes i tot!

—D'acord! D'acord! —va dir en George amb im-
paciència—. Digueu-me què he de fer!

—Primer, algú hauria de pujar dalt de tot de

l'escala per treure només un globus del manat d'en George, per tal que quan s'hagi enlairat fins al capdamunt pugui anar baixant de manera segura —va dir el conserge—. Que alcin la mà els voluntaris!

Com és natural, cap dels Amics de Mitjanit no volia pujar mil esglaons.

Sense adonar-se'n, en Tom va aixecar la mà per gratar-se el nas.

—Gràcies, jove Thomas, senyor —va dir el conserge.

—Però... —va protestar en Tom.

—Molt noble per part seva. Som-hi!

De mal grat, en Tom va començar l'ascensió de l'escala. Al començament picava amb força amb els peus per mostrar el seu descontentament, però aviat això va esdevenir esgotador, va deixar de fer-ho i es va limitar a pujar els esglaons. En Tom sentia tot el que passava a baix, perquè les veus s'elevaven pel forat de l'escala.

Com de costum, el conserge s'encarregava de l'organització. Va començar a arreplegar globus, manat per manat, abans de lliurar-los a en George.

En poc temps, el noi va començar a sentir-se ingràvid, i els peus es van separar del paviment.

—Ara hem d'anar amb molt de compte —va dir el conserge—. Un globus cada vegada.

Mentrestant, en Tom va arribar al capdamunt de l'escala. Estava completament esgotat. No era un noi gens esportista, i per a ell allò era com escalar l'Everest. Va mirar cap avall i es va sentir cent vegades més marejat que quan havia mirat cap amunt. Va pensar que cauria pel forat, però la barana ho feia impossible.

Ara en George s'elevava uns quants centímetres de terra. Si li posaven un o dos globus més, s'enlairaria de debò.

—Està preparat, senyor Thomas? —va cridar el conserge.

—Preparat! —va respondre en Tom, per bé que per un instant havia oblidat fins i tot la raó per la qual havia pujat fins allà dalt.

—He de treure un globus a en George perquè pugui baixar sa i estalvi

—es va murmurar a si mateix, recuperant de sobte la memòria.

El conserge subjectava un globus solitari al costat dels centenars que duia en George.

—Estic convençut que aquest és el que per fi el farà volar. Preparat?

—Preparat! —va respondre en George.

El conserge va mirar l'Amber i en Robin.

—Ara, tots junts, fem que sembli l'enlairament d'un coet espacial... **Deu, nou, vuit...**

La colla dels Amics de Mitjanit va començar el compte enrere.

—... set, sis, cinc, quatre, tres, dos...

Però abans que poguessin dir **«un»**, la dona impossiblement vella, la Nelly, va aparèixer tot ballant a la part inferior del forat de l'escala, aferrada al seu globus.

—Ah, hola un altre cop —va dir alegrement—. Aquest globus que m'heu portat m'agrada molt, però em preguntava si podia canviar-lo per un de color rosa.

La Nelly va allargar la mà i va agafar l'enorme manat de globus que en George estava subjectant.

En aquell precís instant, el cos escarransit de l'anciana va sortir disparat enlaire, més veloç que un coet.

CAPÍTOL 34
CUL INCENDIAT

En Tom va intentar enxampar desesperadament aquella velleta tan menuda quan li va passar per davant, però anava massa ràpid. L'anciana era molt més lleugera que en George, i l'heli dels globus la va fer enfilar-se pel forat de l'escala a una velocitat vertiginosa.

La Nelly va travessar amb estrèpit la claraboia i van començar a ploure vidres.

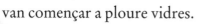

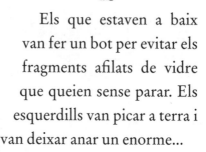

Els que estaven a baix van fer un bot per evitar els fragments afilats de vidre que queien sense parar. Els esquerdills van picar a terra i van deixar anar un enorme...

ESMAIX!

—Visca! —va cridar l'anciana amb gran alegria mentre desapareixia cel enllà.

—Això no és just! —va cridar en George.

Des del capdamunt de l'escala, en Tom veia la Nelly que volava per sobre de les teulades de Londres.

—BAIXI! —va cridar el conserge.

En Tom va saltar damunt de la barana i va començar a lliscar cap avall. El noi va notar que el cul se li escalfava més i més a mesura que anava baixant cada cop més de pressa. Molt aviat es va adonar que no es podria aturar.

—Arrrggghhh! —va udolar.

—Què passa, jove senyor Thomas? —va cridar el conserge.

—SE M'ESTÀ INCENDIANT EL CUL!

—Només ens faltava això —va comentar en Robin.

El noi lliscava per la barana cada vegada
més de pressa. La
fricció era tan bestial
que el pijama vell que
el conserge li havia aconseguit va començar a treure
fum per la part posterior.
—Arrrggghhh!
—va cridar en Tom.

—EL CUL SE M'ESTÀ INCEN- DIANT DE DEBÒ!

—Sí, estimat, ja t'hem sentit la primera vegada —va respondre en Robin, amb poc ànim d'ajudar.

—George, agafa l'extintor! —va cridar el conserge.

El noi va fer el que li manaven, però en agafar-lo pel mànec se li va disparar el cilindre i l'escuma va començar a ruixar tothom.

ESPLAIX!

—Vigila on apuntes aquesta cosa! —va cridar l'Amber, que ara semblava un gelat gegant de Mr. Whippy.

—No ho puc tancar! —va cridar en George.

En Robin, que també havia quedat cobert d'escuma de cap a peus, va remarcar:

—Ara sí que ja no tinc ni idea del que està passant.

—AUXILI! —va cridar en Tom—. QUE ALGÚ M'AGAFI!

Amb l'extintor contra incendis ruixant a tort i a dret, el conserge no va trigar a quedar ben cobert d'escuma.

ESPLAIX!

Desesperat, el conserge va provar de netejar-se l'escuma dels ulls i posar-se en posició per empescar en Tom.

—NO VEIG RES! —va cridar el conserge.

—Benvingut al club —va comentar en Robin.

En Tom va girar la vista i va veure que anava directament cap a l'Amber.

—AMBER! INTENTA AGAFAR-ME!
—va cridar.

—TINC ELS BRAÇOS TRENCATS!
—va respondre ella, també cridant.

WHIZZ!

En Tom va sortir disparat pel final de la barana.

FUUUUUUIX!

Va volar per l'aire.

WHIZZZ!

I va aterrar damunt de l'Amber.

SPLAT!

La cadira de rodes va retrocedir a tota velocitat...

ESPETEC!

Tots dos van picar contra la paret amb un sonor...

UALOP!

... i van aterrar damunt d'una muntanya d'escuma que s'havia format a terra.

CRUNTX!

Aleshores, per fi, el desastre es va aturar.

—Bones notícies, nois! —va anunciar en George.

—Què? —van dir els altres.

—Ja sé com s'apaga l'aparell!

—Just a temps! —va dir en Robin amb sarcasme.

—M'alegro de tenir els braços i les cames trencats —va dir l'Amber—. En cas contrari, me'ls hauria trencat ara.

En Tom va examinar-se la part posterior del pijama. Estava negra i calcinada.

—Vinga, no badeu! —els va recordar el conserge.

—Què passa? —van respondre els Amics de Mitjanit.

—Hem d'enxampar una anciana voladora!

CAPÍTOL 35

NI-NO!
NI-NO!

Els membres dels Amics de Mitjanit van córrer cap a una de les ambulàncies de l'hospital. El vehicle vell i rovellat encara tenia el motor en marxa.

—Pugeu-hi tots! —va bordar el conserge.

Tothom va ajudar a pujar l'Amber i la cadira de rodes a dins de l'ambulància.

—Molt bé, qui vol ser el vigia?

—No estic segur que jo sigui el millor candidat —va fer en Robin mentre s'assenyalava les benes que li cobrien els ulls.

—Jo mateix! —va dir en Tom. Sonava divertit.

—Excel·lent, senyor Thomas. Ara mateix el lligo al sostre! —va respondre l'home.

—Què diu que farà? —va voler saber en Tom.

—No hi ha temps per discutir! La Nelly està sobrevolant Londres en aquest mateix moment!

L'home es va descordar el cinturó vell de cuir i va aconseguir pujar al sostre de l'ambulància amb una certa dificultat. Va lligar el cinturó a la sirena i va fer una estrebada per assegurar-lo.

—Molt bé! Amunt! —va dir el conserge, allargant la mà per pujar-hi en Tom.

En Tom es va plantar al sostre de l'ambulància i es va aferrar al cinturó.

—Vostè serà els meus ulls! —va dir el conserge, abaixant la finestreta—. Avisi'm quan vegi la velleta!

—OK! —va fer en Tom.

—Preparat! —va dir el conserge.

—S-s-sí! —va respondre el noi.

L'ambulància va sortir disparada.

BRMMM!

Mentre el vehicle s'endinsava brunzint en la foscor de la nit, els ulls d'en Tom sotjaven el cel negre. «Quina aventura s'està perdent la Sally»; va pensar. De sobte, aquelles aventures imaginàries havien agafat un rumb nou. En la distància, en Tom va estar segur que veia un gran núvol de globus amb una anciana penjant-hi que passava per davant de la lluna plena.

—És allà! —va cridar en Tom.

—On? —va preguntar el conserge.

—Tot recte!

BRMMM!

L'ambulància va accelerar.

En Tom es va haver d'agafar amb totes les forces quan el conserge va posar el vehicle a la màxima velocitat. Una velocitat sorprenentment veloç.

—A L'ESQUERRA! A L'ESQUER-RA! ENDAVANT! —cridava el noi.

L'ambulància derrapava per les cantonades, avançava contra direcció per carrers de sentit únic i fins i tot pujava a les voreres, en plena persecució de la velleta voladora.

—No sé per què anem amb tantes presses —va murmurar en Robin, que seia a la part davantera entre el conserge i en George—. Tot el que puja, baixa. Estic convençut que la velleta aterrarà en algun lloc, i després ja sabrà tornar a l'hospital.

—Tant me fa, la velleta —va comentar en George—. El que vull és recuperar els globus. Després em toca volar a mi.

—Nois, no em puc creure que sigueu tan insensibles! —va dir l'Amber, que ho sentia tot des de darrere—. Aquesta pobra dona necessita la nostra ajuda desesperadament. I el que és més important, estem anant en ambulància! Més de pressa, home! MÉS DE PRESSA! I engegui la sirena!

El conserge va somriure i va obeir.

NI-NO!
NI-NO!
NI-NO!

Al sostre del vehicle, el soroll era eixordador. Ara en Tom havia de cridar les instruccions a tot volum si volia que el conserge el pogués sentir.

—A LA DRETA!

Dalt del cel, la vella sobrevolava les teulades d'alguns dels edificis més famosos de Londres: la catedral de Saint Pau, la columna de Nelson a Trafalgar Square i les Cases del Parlament. De sobte, la vora de la camisa de dormir de la Nelly es va enredar amb el capitell més alt de l'abadia de Westminster.

En un instant, la camisa de dormir es va desprendre del cos de la dona.

WIP!

—*Ooob-boo-boo!* —va riure la Nelly—. Estic tota nua!

I a fe que ho estava.

—ESTÀ COMPLETAMENT NUA! —va cridar en Tom. Ara contemplava a la vegada uns globus arrugats i un cul arrugat.

—*OH, NO!* —va cridar el conserge, des de baix.

—I EM SEMBLA QUE S'HO ESTÀ PASSANT COM MAI NO S'HO HAVIA PASSAT! —va cridar en Tom, des de dalt.

Aleshores es va produir el DESASTRE.

Les branques d'un arbre alt van retallar la meitat dels globus de la Nelly. De seguida, l'anciana despullada va començar a perdre altura a un ritme trepidant.

—ALTO! LA TENIM JUST A SOBRE!! —va cridar en Tom al conserge.

L'home va trepitjar els frens i l'ambulància es va aturar abruptament.

La dona va aterrar al sostre del vehicle amb un gran...

BUMP!

... i va deixar estabornit en Tom.

ZUD!

CAPÍTOL 36

COMITÈ DE MALVINGUDA

Ara, la part posterior de l'ambulància estava plena de gent. En Tom jeia a la llitera, inconscient després d'haver estat noquejat per segona vegada en dos dies. L'Amber anava al mig, amb la cadira de rodes. En una altra llitera jeia la Nelly, embolicada amb una manta que li tapava les parts púdiques. L'anciana estava incorporada, emocionada després del seu primer vol en globus.

—Quan tornaré a volar? —va preguntar, encantada de la vida.

—No ho farà pas! —va respondre en George, amb brusquedat.

El noi encara arrossegava l'empipament de veure com el seu somni de volar li havia estat arrabassat per la velleta adorable.

—Era jo, qui havia de volar aquesta nit. Vostè ni tan sols és membre dels Amics de Mitjanit!

—La colla dels Amics de Mitjanit! Sona molt emocionant! Puc afegir-m'hi, si us plau?

—NO! —va etzibar en George—. Després d'aquesta nit, mai, mai de la vida no podrà ser membre dels Amics de Mitjanit!

—Podries haver posat un altre «mai» a la frase per posar-hi més èmfasi —va comentar en Robin.

—MAI! MAI! MAI! MAI! —va dir en George.

—Mmm, encara trobo a faltar uns quants «mai» —va murmurar en Robin.

—Calla d'una vegada! Conserge?

—Sí, senyor George?

—Suposo que no tenim temps per encarregar menjar indi per emportar, oi? He de dur un parell de plats al meu amic el quiosquer.

—Em sap greu decebre'l, senyor, però tenim força pressa —va respondre el conserge.

—Ja m'ho pensava. És que té una fam de llop...

—Ho sento, senyor.

—Ni tan sols un papadum?

—És millor que no perdem el temps, senyor.

—Li asseguro que el meu amic Raj no estarà gens satisfet.

En George havia insistit a portar tots els globus que quedaven de nou a l'hospital per fer un altre intent. A contracor, el conserge els havia lligat als llums del sostre i ara anaven botant i rebotant sobre l'ambulància mentre avançaven pels carrers de Londres a tota velocitat.

L'home conduïa el vehicle tan ràpid com podia. Havien de tornar de seguida a l'hospital. Tothom havia de ser dins del llit abans que la Dilly trobés la manera de sortir de la botiga de regals, i també, és clar, abans que la matrona es llevés.

En cas contrari, tots ells s'haurien ficat en un gran gran embolic.

Ajagut a la llitera, en Tom començava a recuperar el coneixement. El noi parlava tot sol.

—Era al camp de criquet. La pilota. Va volar cap a mi. Em va picar al cap. Tot es va tornar negre...

—No, company —el va corregir en Robin—. Això va ser l'última vegada. Aquesta vegada t'ha picat una anciana despullada.

—Com? —va preguntar en Tom, amb un ensurt.

—Encantada de tornar-te a veure! —va dir la Nelly alegrement.

El conserge va mirar el rellotge i va trepitjar amb força el pedal de l'accelerador.

BRMMM!

Si engegava la sirena, podria avançar entremig del trànsit de la ciutat.

NI-NO!
NI-NO!
NI-NO!

Un gran somriure li il·luminava el rostre. Era clar que el conserge s'ho estava passant pipa jugant a fer de conductor d'ambulància per una nit, en lloc de la rutina habitual d'empènyer lliteres carregades de pacients amunt i avall de l'hospital.

Per fi, va girar estrepitosament la darrera cantonada i la porta principal d'entrada de **L'HOSPITAL LORD FUNT** va aparèixer davant seu.

En acostar-se a l'edifici, el conserge es va adonar que hi havia un grup de persones que s'esperaven. Tots miraven en direcció a l'ambulància que s'aproximava. En acostar-se encara més, va veure que no es tractava de cap comitè de benvinguda.

Més aviat era un comitè de malvinguda.

Immaculadament vestit, Sir Quentin Strillers, el director de l'hospital, s'esperava davant de l'escala. A un costat tenia la matrona i a l'altre costat hi havia la Dilly, la dona de la neteja. Tots tres tenien una expressió enfurismada. Darrere seu treien el nas una parella d'infermeres malcarades i corpulentes.

Havien ben **ENXAMPAT** els Amics de Mitjanit!

CAPÍTOL 37

NO FA RIURE

La colla dels Amics de Mitjanit va ser conduïda al despatx del director. Era una sala enorme amb les parets recobertes de panells de fusta de roure, presidida per un quadre a l'oli gegantí de Lord Funt, el fundador de l'hospital, damunt de la xemeneia. El conserge i els quatre nens es van aplegar tots junts al mig de l'habitació.

Sir Quentin Strillers seia darrere l'escriptori com si fos un rei al seu tron. El director era la persona més important de **L'HOSPITAL LORD FUNT** i certament ho semblava. L'home duia un vestit de ratlla

fina immaculat, amb una corbata rosa perfectament posada i un mocador a joc que sobresortia de la butxaca del pit. Un rellotge d'or amb cadena li penjava de l'armilla.

Darrere seu, com un ocell de presa sobre una perxa, hi havia la matrona. Eren les cinc de la matinada i tot just començava a fer-se de dia. La llum del sol picava directament contra els nens. Tots, menys en Robin, aclucaven furiosament els ulls.

Sir Quentin va començar a recitar la llista de delictes que havien comès els nens amb la seva veu plena i efeminada.

—Drogar un membre del personal amb xocolatines especials. Robar una gran quantitat de globus.

Tancar la dona de fer feines a la botiga de regals. Fer volar la pacient més anciana de l'hospital. Destrossar una claraboia. Segrestar una ambulància. Conducció temerària.

—Això és tot? —va demanar en Robin divertit.

Els altres nens i el conserge van deixar anar una rialleta en sentir aquest comentari.

—NO FA RIURE! —va udolar el director—. I no, això no és tot. Això només ha estat aquesta nit! Us importaria donar alguna explicació?

—Tot ha estat culpa meva! —va dir en Tom—. Jo sóc el capitost.

Tots els membres dels Amics de Mitjanit es van girar cap al noi. Què estava fent? En Tom s'arriscava a tenir més problemes dels que ja tenia i en tenia molts, de problemes.

Sir Quentin va serrar els llavis.

—De veritat? Però tu només fa dues nits que ets a l'hospital.

—He estat jo! —va dir en Robin—. Jo sóc el capitost.

—Ho dubto. No t'hi guipes! —es va burlar la matrona.

—He estat jo! —va anunciar l'Amber—. Jo sóc la capitost!

—De veritat, joveneta? —va preguntar el director.

—Tota sola no ho hauria pogut fer tot, Sir Quentin —va xiuxiuejar la matrona—. Té els braços i les cames trencats.

—Potser no —va respondre el director—. I tu, noi?

—Jo no he estat pas —va respondre en George—. No hi tinc res a veure. Què es pensa, que voldria volar cel amunt amb l'ajut d'uns quants globus robats?

Els altres tres nens no semblaven gaire contents amb en George.

—He estat jo, senyor —va anunciar el conserge, que fins aleshores havia romàs en silenci.

—Que ha estat vostè? —va preguntar el director, entretancant els ulls.

—Ha estat culpa meva que aquests nens hagin sortit a fer aquestes aventures nocturnes. Jo he omplert d'idees boges les seves ments joves i impressionables. Si us plau, no els castigui de cap manera. Jo en sóc l'únic culpable, senyor.

Estupefactes, els nens es van girar cap al conserge. El deixarien carregar amb tota la culpa? No semblava just, perquè l'únic que havia fet el seu estimat amic era ajudar-los a fer realitat els seus somnis.

CAPÍTOL 38

UN EMBOLIC BEN BO

—Matrona? —va dir el director de l'hospital, disposat a passar comptes des de la butaca del despatx.

—Sí, Sir Quentin? —va respondre ella.

—Endugui's aquesta colla de nens repulsius a la sala de pediatria. Fiqui'ls tots al llit i asseguri's que no es belluguen d'allà. No vull que els perdi de vista. Entén el que li estic dient, matrona?

—Sí, Sir Quentin —va dir la matrona, i tot seguit va adreçar un somriure malèfic als nens, orgullosa d'haver vençut.

Tots quatre van sortir de l'habitació arrossegant els peus i la cadira de rodes.

En Robin no va poder resistir llançar un últim dard a Sir Quentin.

—Per cert, m'encanta el que ha fet amb el despatx. La decoració és una delícia!

—Gràcies! —va dir l'ho-

me, abans de recordar que el noi duia els ulls embenats i, per tant, ho deia sarcàsticament—. FORA! —va ordenar el director, foragitant-los cap a la porta—. Encara m'he d'ocupar del conserge.

Quan travessaven el llindar de la porta, en Tom, en George i l'Amber van girar la vista cap al seu amic. El conserge tenia els ulls plens de tristesa, però tot i així va aconseguir fer-los un somriure.

—Adéu, joves senyors i senyoreta —va murmurar. Semblava l'últim adéu.

La matrona va fer petar la porta darrere seu.

ZUD!

Els crits del director ressonaven per tot el passadís.

A en Tom se li va encongir el cor en sentir que esbroncaven el conserge d'aquella manera.

Mentre els supervivents dels Amics de Mitjanit anaven passant cap a l'ascensor, la matrona s'hi va adreçar amb delit.

—Molt bé, criatures mentideres i deshonestes! —va començar—. Us heu ficat en un embolic ben bo!

PING!

Un cop dins l'ascensor, en Tom no es va poder estar de preguntar:

—Matrona, què li passarà, al conserge?

—No t'amoïnis. Cap de vosaltres no tornarà a veure mai més aquest home esgarrifós. I pel que fa a la vostra colla repulsiva...

Tots els nens la van mirar.

—... això també s'ha acabat per sempre.

Les portes de l'ascensor es van tancar.

PING!

No cal dir que l'ambient a la sala de pediatria, l'endemà al matí, era depriment. La Sally estava ansiosa per saber què havia passat, però ningú no tenia ganes de parlar-ne. La nit havia estat un desastre absolut.

Ni tan sols la visita de la sempre alegre Tootsie va aconseguir alleugerir l'atmosfera que s'hi respirava.

—Torrada o cereal? —va dir la dona tot empenyent el carretó entre les fileres de llits—. Torrada o cereal?

—Cereals, si us plau —va dir en Tom.

—Aquí el tens, Thomas! —va respondre la Tootsie. Aleshores va procedir a agafar el paquet de cereals i va abocar-ne el contingut dins del bol.

Fidel a la seva paraula, només hi havia un cereal. La boleta va caure al bol emetent un petit i patètic...

CLINC!

—Això és tot?! —va preguntar en Tom.

—He dit «cereal», no pas «cereals». Ho sento, però només me'n queda un. Te l'havia guardat perquè sé que t'agraden.

—No te'l mengis tot de cop! —va cridar en Robin des de l'altra punta de la sala.

—Vols que el regui amb una mica de te fred?

La Tootsie va agafar la tetera. El noi es va estremir en recordar les farinetes pastoses de l'esmorzar del dia anterior.

—No, gràcies, Tootsie! Llet, si us plau.

—Avui tampoc no em queda llet, però sí que tinc mitja bosseta de quètxup.

—Estic afamat. Suposo que podria intentar-ho! —va respondre en Tom amb gran valentia.

—Molt bé!

La dona va ruixar el cereal amb una petita quantitat de salsa vermella.

—Aquí ho tens! —va dir lliurant-li un esmorzar que hauria deixat amb gana una ameba.

—Si us plau, puc prendre una torrada també? —va demanar el noi, esperançat. Després de les aventures de la nit anterior, tenia una gana de llop, i amb aquell cereal solitari no en tindria prou.

La Tootsie va obrir una porta metàl·lica del carretó on guardava els aliments calents.

—Oh, no. Ja saps que l'amo d'aquest local, l'Stri-
llers, ha fet un munt de retallades a l'hospital. Ho
sento molt.

A continuació, va passar al llit d'en George i va
anunciar alegrement:

—No res! Absolutament res per esmorzar!

De manera poc sorprenent, no va haver-hi voluntaris.

—Ostres! —va dir la Tootsie—. Nens, no sé què
us passa, aquest matí.

—El que passa és... —la va interrompre la ma-
trona. Estava dreta just darrere de la Tootsie. Una
vegada més, semblava que hagués aparegut del no-
res— ... que aquests nens desagradables s'han fi-
cat en un embolic ben bo. Han incomplert totes
les normes de l'hospital.

—Però tots semblen molt bons nois —va replicar
l'encarregada del menjador.

—No s'enganyi! Només són uns vulgars lla-
dres i mentiders.

Tots els nens van abaixar el cap, avergonyits.

—Excepte la Sally —va dir la matrona.

La Tootsie va esguardar el llit de la nena petita.

—Encara dorm. Pobreta meva.

—I ara, per culpa d'aquests quatre nens entrema-
liats, han acomiadat el conserge.

—No! —La Tootsie no s'ho podia creure—. Aco-miadat?

—Sí! Aquest matí, a l'acte. Ho mereixia. Un home menyspreable. Sempre vaig saber que en portava al-guna de cap. Sir Quentin Strillers ha exigit que aban-doni immediatament L'HOSPITAL LORD FUNT.

—Oh, no. Oh, no, no, no. Oh, no, no, no, no, no. El conserge no ho mereixia pas. És un home amable i bondadós. I ha passat tota la vida a l'hospital. D'ençà de tota la vida!

—És clar que ho mereixia. Va ajudar aquests nens a portar a terme tots els seus estúpids jocs nocturns! —va tronar la matrona.

—Però LORD FUNT era la seva vida! —va protes-tar la Tootsie—. El pobre home no tenia res més. No tenia dona. Ni fills. Ni família coneguda. Diu la llegenda que el dia que va néixer la seva mare el va abandonar a les escales d'aquest hospital.

—Qui pot culpar-la? —va riure la matrona—. Quina mare podria suportar mirar un fill tan lleig?

Era la història més trista que en Tom havia sentit mai. De vegades, en Tom tenia la sensació que els seus pares l'havien abandonat en deixar-lo a l'internat, però, en comparació amb allò, no era res.

La Tootsie va brandar el cap.

—Pobre, pobre home —va murmurar—. Aniré a veure si es troba bé. Potser necessitarà un sofà on dormir o algú que li prepari un àpat calent.

—Aquell ésser repulsiu no mereix la seva compassió! Ni la de ningú! Va omplir el cap d'aquests nens amb idees ridícules. Sempre he dit que és tan lleig per dins com per fora.

—Això no és veritat! —va protestar en Tom.

—El conserge és bell per dins! —va dir l'Amber—. És la persona més bona que conec!

—Dubto que vostè sàpiga què és la bondat, matrona! —va dir en Robin.

—Sí! —s'hi va afegir en George—. Vaca vella!

Per un instant, va semblar que estava a punt d'esclatar la revolució.

—CALLEU! —va etzibar la matrona.

Atemorits, els nens van tancar la boca.

—Quines criatures tan vils, defensant aquell.... MONSTRE! No vull sentir ni una paraula més de cap de vosaltres en tot el dia!

Només la Tootsie va gosar trencar el silenci.

—Matrona? —va preguntar.

—QUÈ?!

—Sap com podria posar-me en contacte amb el conserge?

—Ni idea! Veient l'estat de la seva roba i de la pudor que fa, no em sorprendria que no tingués llar i que visqués en una caixa de cartró. Ha! Ha!

—Bé, doncs. Allà on sigui, aquesta nit resaré una pregària per ell —va dir la Tootsie.

—En endavant necessitarà alguna cosa més que pregàries! —es va burlar la matrona—. La seva vida insignificant i patètica s'ha acabat. Mai no trobarà una altra feina, després que l'hagin acomiadat d'aquí! I ara, Tootsie, acaba de repartir l'esmorzar tan de pressa com puguis i surt de la meva sala.

—Sí, matrona!

—He de pensar la millor manera de castigar aquests nens malvats.

Dit això, la dona va girar-se i va marxar tota ofesa cap al despatx.

CAPÍTOL 40
XOCOLATA PER ESMORZAR

Plantada amb el seu carretó de l'esmorzar al mig de la sala de pediatria, la Tootsie va esperar que la matrona hagués marxat. Aleshores es va adreçar a en Tom.

—T'has acabat el cereal? —va preguntar.

Com es podia esperar, el noi ho havia fet.

—Sí, gràcies.

—Com estava?

—Et seré franc. No era gran cosa.

—Ho sento.

—Tootsie! —va fer l'Amber en veu baixa.

—Sí, nena?

—Si us plau, intenta trobar el conserge —va començar la nena—. La història de la seva vida és increïblement trista. Em sento molt culpable. Només provava d'ajudar-nos, i ara l'han acomiadat. Cal que li diguis que tots l'apreciem molt i que el trobem molt a faltar. I digues-li que l'Amber lamenta moltíssim el que ha passat.

—I en Robin també! —va dir en Robin.

—I en George! —va dir en George.

—I, si us plau, digues-li que ningú no ho lamenta tant com jo, en Tom —va dir en Tom.

—A veure, un moment, qui ho lamenta més sóc jo —va protestar l'Amber.

—L'únic somni que va sortir malament va ser el meu! Per tant, he de ser jo, qui ho lamenti més —s'hi va afegir en George.

—Si us plau, no discutim sobre qui ho lamenta més! —els va interrompre en Robin. I aleshores, amb un somriure, va dir—: És evident que sóc jo!

—Si el trobo, li diré que tots ho lamenteu moltíssim! —va anunciar la Tootsie.

—Bona idea! —va dir en Tom.

—Què esmorzarem? —va preguntar l'Amber.

—Et queden bombons, George? —va preguntar en Robin.

—Sí —va respondre ell—. En tinc una reserva amagada en un lloc secret. És l'última capsa, però la compartirem entre tots.

El noi va obrir la funda del coixí i en va treure una capsa. Va llançar un grapat de bombons a tots els llits.

—Gràcies, George —va dir en Tom.

—Bé, nois, els Amics de Mitjanit va estar bé mentre va durar —va dir en Robin—. Jo vaig tenir ocasió de dirigir una orquestra d'instruments mèdics. L'Amber va anar al Pol Nord. En George va levitar durant uns segons...

—I tant! Això sí que va ser un somni fet realitat! —va dir en George amb sarcasme.

—En Tom, en canvi, no hi va ser a temps. Per curiositat, què hauries desitjat fer?

—Hi he estat pensant tot el matí —va respondre en Tom.

—Sí? —va preguntar l'Amber.

—Quan em vau instar a fer el jurament per entrar a els Amics de Mitjanit, hi havia una part que parlava de posar els amics per davant de tot.

—«Sempre posaré les necessitats dels meus germans i germanes de la colla per davant de les meves?» —va recitar l'Amber.

—Això mateix! —va respondre en Tom.

—I doncs?

—Doncs que això és exactament el que vull fer. En aquesta sala hi ha una persona que té unes necessitats molt més grans que les meves. I jo voldria cedir el meu desig a aquesta persona.

—Qui? —va preguntar en Robin.

—La Sally! —va respondre en Tom.

—És clar! —va replicar en Robin.

CAPÍTOL 41
L'ÚLTIMA AVENTURA?

—La Sally vol formar part dels Amics de Mitjanit més que cap de nosaltres —va dir en Tom—. Però un cop rere l'altre li hem dit que no podia ser.

—No volíem que la Sally es posés encara més malalta —va dir l'Amber—. Sovint les aventures eren perilloses. Ho fèiem pel seu bé.

Des del racó de la sala de pediatria, la Sally va alçar la veu.

—Però tots hauríem de poder fer realitat un somni com a mínim una vegada a la vida.

—Pensàvem que dormies! —va dir en Tom.

—Dormia i no dormia —va respondre la nena petita—. El tractament d'ahir em va deixar feta pols. Però avui em trobo molt millor.

—Me n'alegro —va dir l'Amber.

—Moltes gràcies per cedir-me el desig, Tom. És el millor regal que em podies fer.

—És clar que sí, Sally —va respondre en Tom—.

Però em sap greu que no puguis fer-lo servir.

—Per què no? —va preguntar la Sally.

—Perquè els Amics de Mitjanit han deixat d'existir —va respondre l'Amber.

—Els adults ens han tancat la paradeta —va afegir en George.

—Només perquè vam fer volar una anciana de noranta-nou anys per sobre de les teulades de Londres! —va dir en Robin—. Tota nua. És una vergonya!

—Ha, ha! —va riure la Sally. Però de seguida va semblar que el riure li provocava una mica de dolor. Un per un, els nens van baixar del llit i van formar un cercle al seu voltant.

—Et trobes bé? —va preguntar en Tom, donant la mà a la nena.

—Sí, sí, estic bé —va respondre la Sally, però era evident que estava mentint—. I esteu segurs que els Amics de Mitjanit no podeu tenir una última aventura?

Els nens van negar amb el cap entristits.

—I quin hauria estat el teu somni? —va preguntar en Tom.

—Sí —va dir l'Amber—. A tots ens encantaria saber-ho.

La Sally va alçar la vista i els va mirar.

—Pensareu que sóc ximpleta, però...

—No pensarem que ets ximpleta —va respondre en Tom—. Diguis el que diguis.

—Jo vaig voler anar al Pol Nord, tot i que tenia els braços i les cames trencades! —va dir l'Amber.

—Jo volia dirigir una orquestra, tot i que no podia veure els músics —va afegir en Robin.

—I jo volia volar! —va riure en George—. I peso el doble que cap de vosaltres!

La Sally va somriure.

—Bé... —Ara la nena se sentia més segura—. M'agradaria viure una vida plena i meravellosa!

—Què vols dir? —va preguntar en Tom.

—He passat gran part de la vida a l'hospital i m'he perdut moltes coses. De vegades penso que no sortiré mai d'aquí. Potser mai no arribaré a fer el primer petó. A casar-me. A tenir fills.

Els ulls dels altres es van omplir de llàgrimes.

—No tingueu llàstima de mi —va dir la Sally—. Però, si us plau, si us plau, si us plau, els Amics de Mitjanit no podrien tenir una última aventura, l'aventura de tota una vida?

—QUÈ ESTEU FENT FORA DELS VOSTRES LLITS, NENS MALVATS! —va udolar la matrona.

Havia aparegut de manera imprevista, com tenia per costum.

—He estat massa tova amb vosaltres. La sala de pediatria funcionarà d'una manera molt diferent, d'ara endavant. Torneu als llits ARA MATEIX!

Els nens van obeir i es van enretirar als seus llits. Els nois primer van ajudar l'Amber a pujar al seu.

—Bé! I ara ningú no sortirà del llit llevat que ho digui jo. Entesos?

Es van sentir alguns murmuris poc convençuts de «Sí, matrona».

—He dit ENTESOS?

Aquesta vegada els nens van respondre més fort.

—Sí, matrona.

—MOLT BÉ!

Just quan en Tom tornava cap al llit, la matrona el va cridar.

—Tu no, noi.

En Tom es va preguntar què devia haver fet.

—Els resultats de les teves proves han arribat aquest matí —va anunciar la dona.

—Sí? —va fer en Tom, empassant-se la saliva. Sabia el que li esperava.

—I tant. Sorpresa, sorpresa! Resulta que no tens absolutament cap problema. Has estat fingint tota l'estona, serp mentidera!

—Però... —va protestar en Tom.

—CALLA! —va udolar la matrona—. Marxaràs immediatament de l'hospital. El director de l'internat ha vingut a recollir-te!

CAPÍTOL 42
LA FUGA

En Tom s'havia oblidat totalment de St. Willet's. Tot i que només feia un parell de dies que era a l'hospital, tenia la sensació que aquell lloc ja era casa seva i que els altres nens eren la seva família.

—Charper! —va cridar el director des de l'altra punta de la sala. A l'internat exclusiu on anava, els mestres mai no li deien pel nom de pila.

—Sí, senyor? —va respondre en Tom. Era com si ja tornés a ser a l'escola.

—És hora de marxar, noi.

El director era un home corpulent amb les patilles llargues i les ulleres petites i rodones. Sempre duia un vestit gruixut de *tweed*, una jaqueta de punt i corbatí. Un rastre de fum de pipa el seguia allà on anava. Semblava haver viatjat cent anys enrere en el temps fins a l'època present. L'escola s'enorgullia de no haver canviat en centenars d'anys, i, per tant, aquell director obsolet hi encaixava perfectament.

La matrona s'estava al seu costat, a l'extrem de la sala.

—Vinga, vinga! —va ordenar el director.

—I el meu pare i la meva mare, senyor? —va preguntar en Tom.

—Què vols dir, noi? —va respondre en Thews.

—Pensava que em vindrien a buscar ells.

—Oh, no, no, no. Els teus pares estan molt lluny! —es va burlar el director.

En Tom semblava desconsolat.

—Només ha estat un cop de pilota de criquet al cap, noi! —va continuar en Thews—. Potser et podria haver tornat més assenyat i tot! No oblidem el lema de l'escola de St. Willet's: «*Nec quererer, si etiam in tormentis*». Tradueix-ho del llatí, noi!

—«Mai no et queixis, per molt que pateixis.»

—Excel·lent!

El lema estava escrit a l'escut d'armes de l'escola, i totes les jaquetes el duien estampat.

Sota la mirada trista dels altres nens de la sala, en Tom va passar la cortina al voltant del seu llit i es va tornar a posar l'equipament blanc de jugador de criquet. El noi ho va fer tan a poc a poc com va poder. No volia separar-se dels seus amics.

—Per l'amor de Déu, afanya't, noi! —va ordenar el senyor Thews—. Deixa de badar.

En Tom es va posar el jersei de criquet tacat d'herba per damunt del cap i va sortir de darrere la cortina.

—En sap res, del meu pare i la meva mare? —va preguntar en Tom, encara esperançat.

El director va negar amb el cap i li va dirigir un somriure de superioritat.

—Res de res! No truquen mai. No escriuen mai. Gairebé sembla que s'hagin oblidat de tu.

En Tom va inclinar el cap.

—Som-hi, Charper, què espera? —va exigir el director.

—Només em vull acomiadar dels meus nous amics.

—No hi ha temps, per a això, noi! Vinga! De pressa. Has de posar-te al dia amb els deures de l'escola, després del temps que has passat aquí.

—Ja has sentit el que diu el director, nen! —va etzibar la matrona—. Belluga't!

Tot avançant pel terra lluent de la sala de pediatria, en Tom va girar el cap a banda i banda per mirar per darrer cop els seus nous companys.

La Sally, l'Amber, en George i en Robin van alçar la mà i se'n van acomiadar en silenci.

—La matrona m'ha informat que el teu comportament a l'hospital ha estat abominable —va anunciar el senyor Thews.

En Tom no va dir res.

—Una «banda»? De veritat? Sortíeu del llit en plena nit? Has embrutat vilment el bon nom de l'escola St. Willet's.

—Ho sento, senyor.

—No n'hi ha prou amb sentir-ho, noi! —li va etzibar el director—. Seràs severament castigat tan aviat com tornem a ser a l'escola.

—Gràcies, senyor.

—Adéu, noi —va dir la matrona—. Espero no tornar a veure mai més la teva cara desagradable.

En Tom va girar el cap per veure els seus amics per darrer cop. La Sally li va tornar el somriure, però en Thews li va estirar el braç i les portes altes es van obrir i es van tancar darrere de tots dos. El director va arrossegar en Tom passadís enllà, amb la mà fermament col·locada sobre l'espatlla del noi. En Tom se sentia com un pres fugitiu que han capturat i tornen a portar a la presó.

Havia de fer alguna cosa.

Qualsevol cosa.

La Sally tenia dret a fer realitat el seu somni, més que cap dels altres nens, i se li estava acabant el temps.

Davant seu hi havia el replà dels ascensors. En Tom sabia que si volia fugir hauria d'actuar amb rapidesa. D'aquí a uns moments, seria dins del cotxe del director, enmig del no-res, fent el llarg viatge de tornada cap a l'internat.

A l'altra punta del passadís, en Tom va albirar el

conserge substitut empenyent un gran carretó de roba bruta. L'home estava situat al costat d'una escotilla que hi havia a la paret i anava llançant bosses de roba bruta per una rampa. En Tom sabia que la rampa conduïa al soterrani de l'hospital. Un nen s'hi podria encabir, però no pas un adult.

El nou conserge es va apartar i en Tom va saber que aquella era la seva única oportunitat.

El noi es va desfer de la mà que l'aferrava i va arrencar a córrer.

–TORNA CAP AQUÍ, NOI!

—va udolar en Thews.

—Adéu, senyor! —va dir en Tom, tot llançant-se de cap rampa avall.

CAPÍTOL 43

UN MUR DE COLOR NEGRE

—AAAAAAAAAHHH-
HHH! —va cridar el noi mentre llis-
cava per la rampa que conduïa a la bu-
gaderia. En Tom s'hi havia llançat des
del pis de dalt de tot, i el trajecte fins
al soterrani era llarguíssim. Quaran-
ta-quatre pisos en total. El conducte
era negre com la gola d'un llop, i en
plena baixada es va adonar que es-
tava agafant velocitat a un ritme
alarmant.

Al final de la rampa, un petit
quadrat de llum es va fer visible
en la foscor.

El quadrat es va anar fent cada
vegada més gran fins que en Tom
es va adonar que el travessava i
volava per l'aire.

—NOOO!

—va cridar.

ZUD!

El noi va aterrar sobre un enorme cistell ple de bosses de roba bruta. Va sospirar alleujat en comprovar que encara era viu. Aleshores, amb moltes dificultats, va sortir del cistell i va desaparèixer en la foscor del soterrani.

Ara, el més urgent era trobar un lloc on amagar-se.

Era probable que el director de l'escola encara fos al pis de dalt, però el personal de l'hospital no trigaria gaire a començar a buscar-lo.

En Tom va passar per davant de la bugaderia.

Massa soroll.

Després va passar per la cambra frigorífica.

`Massa fred`.

Després va passar pel magatzem.

Massa tenebrós.

En Tom va restar immòbil un instant. En la distància, va sentir el so d'uns passos que s'acostaven. El so era cada vegada més i més fort. No sabia qui podia ser, però s'acostava molt de pressa. Semblava que fos un exèrcit.

La llum procedent d'unes torxes rebotava per les parets.

En Tom va entreveure l'ombra de dotzenes d'infermeres que avançaven cap a ell.

Desesperat, va provar d'obrir una porta.

Tancada.

I una altra.

Tancada.

I una altra.

Tancada.

A mesura que s'anaven acostant les ombres, el pànic s'apoderava del noi.

—Thomas? —Era la matrona, que comandava

l'exèrcit d'infermeres a través del soterrani—. Sabem que ets aquí!

—Aquest nen desagradable s'ha ficat en un bon embolic —va dir el director, a qui en Tom va entreveure en la foscor corrent al costat de la matrona—. CHARPER? CHARPER?

Les ombres rebotaven per les parets del soterrani en tota mena d'angles estranys, i feia la sensació que un exèrcit s'acostava a en Tom des de totes bandes.

En Tom va provar el mànec d'una última porta. CLIC!

Es va obrir.

A dins era negre com la gola del llop, i en Tom es va espantar. Va respirar fondo, hi va entrar i va tancant la porta darrere seu.

Un mur de color negre.

El noi només sentia la seva pròpia respiració.

I, tanmateix, tenia la sensació que no estava sol.

—Hola? —va murmurar en Tom—. Hi ha algú?

Entre les ombres, el noi va veure un parell d'ulls que l'esguardaven.

—AAARRRGGGHHH! —va udolar.

CAPÍTOL 44

CASA MEVA

—**Silenci!** —va dir una veu entre les tenebres.

Es va encendre un llumí i la flamarada va il·luminar el rostre inconfusible del conserge. En Tom va sospirar alleujat en veure que es tractava del seu amic.

Tot seguit l'home va encendre una espelma i l'habitació es va il·luminar una mica més.

—Què hi fa, aquí baix? —va voler saber el noi.

—Aquí és on visc —va fer l'home—. Això és casa meva.

—Però em pensava que l'havien acomiadat!

—Sí. Però no tinc cap altre lloc on anar. I VOSTÈ, què hi fa, aquí?

—M'amago —va respondre el noi.

—De qui?

—Del director de la meva escola. De la

matrona. D'un exèrcit d'infermeres. De tothom, en realitat. El director ha vingut a buscar-me per portar-me a l'internat. Però jo no hi vull anar.

—Molt bé, però no es pot quedar aquí eternament —va dir el conserge.

—No —va respondre el noi. Havia fugit sense pensar-hi i ara s'adonava que s'havia ficat en un embolic encara més greu—. Aleshores, això és realment casa seva?

—Sí, senyor Thomas —va respondre el conserge—. Miri! —L'home va bellugar l'espelma per l'habitació perquè el noi ho pogués veure tot—. Aquí tinc tot el que necessito.

El conserge va indicar un matalàs llardós que hi havia en un racó.

—El meu llit. I allà hi ha la cuina.

Hi havia un petit forn de gas amb una pila de llaunes de menjar en conserva al costat.

—L'armari.

El conserge va assenyalar una caixa gran de cartró dins de la qual penjaven unes quantes peces de roba arrugades.

—Però no té una casa normal? —va preguntar el noi.

L'home va deixar anar un sospir profund.

—L'hospital és la meva llar. Sóc aquí des que era un nadó. De petit, els metges em van operar moltes vegades.

—Per què?

—Per intentar que tingués un aspecte «presentable». Però cap de les operacions va funcionar. Vaig passar molts anys aquí com a pacient. Aleshores, quan ja era massa gran per quedar-me a la sala de pediatria, va sortir un lloc de treball a l'hospital i el vaig agafar. Una feina senzilla. Traslladar coses i persones amunt i avall. Tenia setze anys, i des d'aleshores treballo aquí.

—Però, si tenia feina, per què no va buscar un lloc per viure?

—Ho vaig intentar. L'Ajuntament em va ajudar a trobar un pis petit d'una habitació en un bloc de cases no gaire lluny d'aquí. Però el problema és que de vegades la gent pensa que ets perillós només perquè tens un aspecte estrany. No em deixaven tranquil. La gent del barri pintava coses horribles a la porta de casa meva. Deixaven cartes desagradables a la bústia dient-me que marxés. M'acusaven d'espantar les criatures. Em cridaven pel carrer. M'escopien. Em van llançar al damunt un gos ferotge. Una nit, mentre dormia, van tirar un maó contra la finestra. Per això vaig tornar aquí i em vaig amagar. Ningú no ha sabut mai que vivia aquí. Aquesta és la meva llar.

Les llàgrimes feien resplendir els ulls d'en Tom. Se sentia trist i culpable a la vegada. Com tantes altres persones, en Tom havia pensat el pitjor del conserge només pel seu aspecte. El noi va repassar amb la mirada l'habitació freda i humida. No era gran cosa, però era una llar. Com a mínim ja era més del que tenia ell. Amb els pares vivint a l'estranger i ell aparcat en un internat, el noi no havia tingut mai un lloc que pogués considerar propi.

—No és l'hotel Ritz, ja ho sé, però no es pot negar que quedava a prop de la feina! —L'home va fer una rialleta—. És clar que, ara que m'han acomiadat, no sé pas on aniré.

—Si jo tingués casa, el convidaria.

—Vostè molt amable, senyor.

—Però lamento dir que no en tinc.

—Diuen que «la casa és allà on tens el cor». On té el cor, senyor Tom?

El noi va pensar durant un instant i aleshores va respondre:

—El tinc amb els nens de la sala de pediatria. I especialment amb la Sally.

—Pobreta.

—No ha pogut fer realitat el seu somni.

—No. I els pares?

—Què?

—El seu cor no és amb ells?

—No —va respondre el noi sense pensar-s'ho—. No es preocupen per mi.

—Estic segur que tots dos l'estimen molt.

—Jo estic segur que no. No truquen mai. No escriuen mai. Amb prou feines els veig.

—Estic segur que ara mateix estan pensant en vostè.

En Tom no va dir res.

—Miri'ns tots dos! —va comentar el conserge—. Som un parell d'ànimes esgarriades, oi?

—Sento molt que hagi perdut la feina a l'hospital —va dir en Tom—. Tots els nens de la sala de pediatria ho sentim. De fet, vam estar barallant-nos per veure qui ho sentia més.

—De veritat? Bé, doncs no cal que s'amoïnin per aquest pobre diable. Coneixia perfectament el risc que comportava ajudar els Amics de Mitjanit. Ha valgut la pena que m'acomiadessin.

—N'està segur?

—I tant! Ho tornaria a fer. Només per veure el somriure de tots els nens al llarg dels anys.

—Però no podríem provar de convèncer l'Strillers perquè el tornessin a agafar?

Abans que el noi pogués dir una paraula més, el conserge va xiuxiuejar:

—Silenci!

L'home va assenyalar la porta.

En Tom va escoltar. Es van sentir uns passos, i el so d'unes portes metàl·liques que repicaven.

—Deu ser l'equip de recerca! M'han trobat! Hi ha alguna altra sortida?

—No!

—Oh, no!

—Ens haurem d'amagar!

—On?

—Vostè fiqui's a l'armari, i jo m'amagaré sota el llit.

En Tom es va ficar a la caixa de cartró, mentre el conserge es tapava el cos amb el matalàs.

—L'espelma! —va xiuxiuejar en Tom.

El conserge la va apagar d'una bufada just en el moment que s'obrien les grans portes metàl·liques.

CLANC!

Les torxes van resplendir en la foscor, bellugant-se de manera fantasmagòrica per l'habitació.

En Tom va aguantar la respiració. La matrona i el director van entrar a l'habitació seguits de l'exèrcit d'infermeres malcarades.

—*Surt, surt d'allà on estiguis amagat...* —va xiuxiuejar la matrona.

CAPÍTOL 45
UN COLOM AMB UNA ALA

—Algú o alguna cosa s'amaga aquí dins. Ho sé —va murmurar la matrona mentre amb la torxa il·luminava els racons més recòndits de l'habitació del soterrani de l'hospital.

—A mi em sembla que només hi ha andròmines —va respondre el senyor Thews—. Anem passant.

—No —va replicar la matrona—. Aquesta olor. —La dona va ensumar l'aire resclosit—. Em resulta estranyament familiar.

Encongit dins de l'armari de cartró del conserge, en Tom va notar una sensació estranya. Com si li estiguessin mossegant el dit petit. Quan va abaixar la vista, va veure que no s'equivocava. Efectivament, un colom li estava picotejant el dit petit.

Sense pensar-ho dues vegades, el noi va sacsejar la mà per foragitar l'au. El pobre colom va sortir volant arran de terra.

—*GRALL!*—va grallar l'ocell.

—¡Aaarrrggghhh! —va cridar la ma-
trona.

—Només és un colom! —va dir el senyor Thews.

—Detesto aquestes bèsties fastigoses. Són rates
amb ales! Gairebé tan repulsives com els nens.

—Bé, doncs, podem anar passant? —va preguntar
el director.

—Sí —va respondre ella—. He d'informar el de-
partament de manteniment que envïin algú de segui-
da per exterminar aquesta maleïda criatura. Amb
molt de gust l'ofegaria jo mateixa dins d'una galleda,
però ara no tinc temps.

—És una llàstima —va mussitar el director—.
Hauria estat un plaer.

—Em complau veure que pensa igual que jo, se-
nyor Thews. He de reconèixer que m'encanta tenir
un punt de crueltat.

—No hi ha res més plaent. M'agrada ser cruel

amb els meus alumnes de St. Willet's. D'aquesta manera els tinc tots sota control. Les cartes que m'envien els familiars, les cremo abans que arribin als nens. Els pares d'en Tom escrivien cada setmana, però jo llançava les cartes directament al foc! Ha! Ha!

En Tom no podia creure el que estava sentint.

—Oooh! Això li devia proporcionar un plaer immens.

—En efecte, matrona, en efecte. No hi ha res que superi aquesta sensació de poder absolut!

—Els estúpids pares d'en Tom no han parat de trucar a l'hospital. Estan desesperats per tenir notícies del seu fill. Però jo els penjo l'aparell directament!

—Ha! Ha! Aquest insecte desagradable mereix tot el que li passa. No puc esperar a posar-li les mans al damunt. El càstig serà sever!

—El farà menjar col freda en tots els àpats durant un any?

—Mmm. El menjar de St. Willet's és pitjor que això.

—El farà banyar-se amb aigua del vàter?

—Els nois ja ho han de fer, això.

—Li farà fer una cursa pel camp en calçotets?

—Mmm. Quan estigui nevant!

—Quina idea tan meravellosament malvada, senyor Thews.

—Gràcies, matrona. No podem perdre temps. Hem de trobar el noi immediatament!

—Dividim-nos. Vostè comprovi la cambra frigorífica, senyor Thews. Alguns nens hi van anar la nit passada.

—De seguida, matrona.

—I jo aniré a la sala de calderes. Faci un crit si localitza el cuc.

—I tant que ho faré!

Tots dos van girar cua i, escortats per les infermeres, van sortir corrents a continuar la recerca.

Quan el soroll dels passos es va haver allunyat prou, el conserge va emergir de sota el matalàs.

—Quina parella tan malvada! —va dir en Tom amb el cor bategant-li a tota velocitat.

—Tots dos són igual de dolents —va respondre el conserge. Llavors va encendre l'espelma, i la sala del soterrani es va tornar a il·luminar. Davant la sorpresa d'en Tom, l'home va córrer cap a l'ocell atordit i el va agafar amb les dues mans.

—Per què li ha hagut de fer això a la Professora Coloma? —va xiuxiuejar.

—La Professora Coloma? —va preguntar en Tom, amb certa incredulitat.

—Sí! Es diu així perquè és molt intel·ligent. És el meu colom de companyia. I miri, només té una ala.

En Tom el va mirar. En efecte, l'ocell tenia un monyó allà on hi hauria d'haver tingut una de les ales.

—Com la va perdre? —va preguntar el noi.

—Va néixer així. La seva mare la va fer fora del niu just després que sortís de la closca.

—Quina crueltat.

—És el que fan els animals. Suposo que era l'ovella negra. Com jo.

En Tom va sentir els *parrups* de plaer del colom quan l'home el va acaronar.

—Què vol dir?

—Bé, jo només tenia unes hores quan la meva mare em va deixar a l'entrada de l'hospital.

—Ho sento molt.

—Em va deixar aquí en plena nit perquè ningú no li pogués veure la cara.

—Aleshores, no té ni la més petita idea de qui és la seva mare?

—O de qui era, potser. No. Però la perdono. I també la trobo a faltar, tot i que no la vaig arribar a conèixer.

—Per què el va deixar aquí?

—Suposo que la mare esperava que aquí a l'hospital em cuidarien millor. Potser tenia l'esperança que els metges i les infermeres em podrien ajudar. Que podrien fer alguna cosa amb això.

El conserge es va assenyalar la cara deforme i va provar de somriure enmig de la tristesa.

—Em sap molt greu —va dir el noi.

—No passa res, jove senyor Thomas. Continuo estimant la meva mare. No sé qui devia ser, però l'estimo. Com que ningú no em va voler adoptar, Lord Funt, el fundador d'aquest hospital, va deixar que em quedés a la sala de pediatria. En Funt era un bon home. No com aquest paio nou.

—L'Amber em va explicar que els Amics de Mitjanit es van fundar a la sala de pediatria fa molt de temps, i que la colla ha anat passant a través de generacions de pacients.

—Això mateix.

—També va dir que ningú no sap quin nen havia creat la colla. Vostè ho sap?

—Sí —va respondre el conserge. El vell va somriure.

—Qui va ser, doncs? —va preguntar el noi, amb els ulls esbatanats d'emoció.

—Vaig ser jo —va respondre el conserge—. Jo vaig ser el nen que va crear els Amics de Mitjanit.

CAPÍTOL 46

EL PRÍNCEP ENCANTADOR

—Vostè?! —va preguntar en Tom. El noi no se'n sabia avenir.

—Sí, senyor Thomas. Jo! —va afirmar el conserge, arrossegant les paraules.

La parella seia a l'habitacle fred, fosc i humit que l'home feia servir de casa, al soterrani de **L'HOSPITAL LORD FUNT**.

En Tom va somriure.

—Ara ho entenc tot! Ara sé per què ens ha ajudat!

—Bé, fa més de cinquanta anys que ajudo els nens de la sala de pediatria a fer realitat els seus somnis.

—Aleshores, per què va crear els Amics de Mitjanit?

—Per la mateixa raó que vosaltres, els nens d'avui dia. Estava avorrit. Em sembla que Lord Funt devia sospitar que els nens tramàvem alguna cosa. Però sé que, per damunt de tot, ell volia que els seus pacients fossin feliços. En Funt va fer la vista grossa a les nostres aventures nocturnes.

—I quin era el seu somni?

—Bé, de vegades els altres nens de la sala eren cruels amb mi. Em posaven malnoms: Home Monstre, Noi Elefant, la Criatura.

—Devia ser molt dolorós.

—Ho era. Però els nens només abusen dels altres quan ells mateixos són infeliços. Simplement em feien pagar a mi la seva infelicitat. Igual que la matrona i el director de l'escola, suposo. Em van deixar molt clara la meva deformitat, i jo somniava que era un príncep molt ben plantat que rescatava una bella princesa.

—I ho va fer? —va preguntar el noi.

—Sí. En certa manera. Només tenia deu anys. Els altres nens de la sala i jo vam fabricar un cavall de pega amb mantes i una escombra. Dos dels nens s'hi van amagar a sota, un d'ells davant del cavall i l'altre

al darrere. Jo muntava el cavall per salvar la princesa, que estava empresonada en una torre. A dalt de tot de l'escalinata, de fet.

—Qui era la princesa?

—Es deia Rosie. Una de les pacients. Tenia onze anys. La nena més maca que havia vist mai.

—Per què era a l'hospital?

—Patia del cor. La nit que la Rosie va ser la meva princesa va ser la més màgica de la meva vida. Quan la vaig rescatar, em va fer el meu primer petó i l'últim.

—Què se'n va fer, de la Rosie?

El conserge va dubtar un instant.

—Poc després d'aquella nit, el cor li va deixar de bategar. Els metges i les infermeres van fer tot el possible per salvar-la. Però no ho van aconseguir.

El conserge va acotar el cap. Encara que parlés d'una cosa que havia passat feia més de cinquanta anys, el dolor era el mateix que si hagués passat ahir.

—Em sap molt greu —va dir en Tom. Va allargar la mà i la va posar sobre l'espatlla de l'home.

—Gràcies, senyor Thomas. La Rosie va ser molt amable amb mi. Tant li feia el meu aspecte. Era capaç de veure més enllà. Potser tenia el cor feble, però també el tenia molt gran. Perdre la Rosie em va fer adonar d'una cosa.

—Quina?

—Que la vida és preciosa. Cada moment és preciós. Hem de ser amables els uns amb els altres. Mentre encara hi siguem a temps.

CAPÍTOL 47
RES NO ÉS IMPOSSIBLE

Tots dos van restar un moment en silenci a l'habitació del soterrani, però ben aviat el conserge va tornar a parlar.

—Bé, senyor Thomas, es ficarà en un bon embolic si es queda aquí un minut més.

L'home va oferir unes engrunes de pa a la Professora Coloma. L'ocell les va picar i va saltar fins al niu, on en Tom va veure que hi havia uns quants ous de colom.

—Tindreu bebès! —va dir el noi.

—Bé, no seran pas meus, els bebès! —va riure l'home—. Però sí, la Professora Coloma està a punt de ser mare. Estic ansiós per veure com surten de l'ou.

El conserge va estudiar el noi durant un moment, i llavors va remarcar:

—El bony del cap ha desaparegut del tot.

—Encara em fa mal —va mentir en Tom.

—No sóc estúpid. Sé que va enganyar el pobre doctor Luppers per poder quedar-se més temps a l'hospital.

—Però...!

—Potser el va engalipar a ell, per a mi no m'entabana pas! I ara som-hi, pugem a veure el director. Ha de tornar de seguida a l'escola.

—No! —va respondre en Tom en to desafiant.

Aquesta resposta va agafar el conserge desprevingut.

—Què vol dir, que no?

—Vull dir que no. Com a mínim fins que els Amics de Mitjanit es puguin tornar a reunir per acomplir una darrera missió.

El conserge va moure el cap sense energia.

—Això és impossible, senyor Thomas. Tot l'hospital està pendent dels nens. No hi haurà més missions dels Amics de Mitjanit.

En Tom no es donava per vençut.

—Però vostè mateix ha dit que la vida era preciosa! Que cada moment és preciós!

—Ja ho sé, però...

—Aleshores hem de fer realitat el somni de la Sally. Siguem amables mentre encara hi siguem a temps.

—Però aquesta nit no, senyor Thomas. És impossible! —va respondre el conserge.

—Res no és impossible! Ha d'haver-hi una manera —va dir el noi. Amb gran sentit dramàtic, es va aixecar i va caminar cap a la porta—. Si vostè no ens hi ajuda, no passa res! Ho farem nosaltres sols!

En Tom va obrir la porta. Però just quan estava a punt de sortir, el conserge el va aturar.

—Esperi! —va dir.

Amb l'esquena girada cap a l'home, en Tom va somriure per sota el nas. Sabia que havia picat; ara només calia recollir l'ham. El noi es va girar cap al conserge.

—Només per curiositat —va començar l'home—. Quin és el somni de la senyoreta Sally?

En Tom va dubtar un instant. Sabia que el que estava a punt de dir superava tot el que els Amics de Mitjanit havien intentat abans.

—La Sally vol viure **una vida autèntica i meravellosa...** en una sola nit.

CAPÍTOL 48
UNA AVENTURA EXTRAORDINÀRIA

—A veure si ho entenc, senyor Thomas —va dir el conserge, arrossegant les paraules—. La jove senyoreta Sally vol viure tota una vida, setanta, vuitanta anys potser, en una sola nit?

—Exacte! Desitja desesperadament experimentar tot allò que la vida té per oferir! —va dir en Tom, empassant-se la saliva. El noi sabia que aquest seria el somni més difícil de fer realitat per part dels Amics de Mitjanit.

—Tot?

—Tot. Miri, ja sé que sembla una bogeria, però...

—És magnífic —el va interrompre el conserge. L'home va acaronar per última vegada el colom d'una sola ala i el va deixar a terra amb suavitat—. Però necessitarem un pla —va dir.

—Jo en tinc un! —va respondre el noi.

—Quin és?

—Prepararem un petit espectacle. Farem que la Sally en sigui l'estrella.

—I de què anirà, l'espectacle?

—Seran instantànies, petites escenes de totes les coses que passen a la vida. El primer petó...

—La primera feina?

—Tenir un fill, fins i tot!

—És una idea genial! —va exclamar el conserge.

En Tom va notar que les galtes se li envermellien de vergonya. Mai ningú no li havia dit que hagués tingut una idea genial.

—Gràcies —va respondre el noi.

—És un somni molt gros. Més gros que gros. Gegant! Necessitarem *attrezzo*, disfresses i tota mena de coses.

—Sí! Hem de trobar moltes coses. Tots els nens ens hi haurem de posar de seguida.

—I haurem de fer una llista de quins poden ser els moments especials de la vida de la Sally.

—Sí.

—Serà una última missió increïble per als Amics de Mitjanit! Som-hi, Professora Coloma —va dir el conserge, agafant l'ocell i ficant-se'l a la butxaca—, que viurem una aventura extraordinària.

CAPÍTOL 49

DOS PEUS ESQUERRES

Ara que en Tom estava oficialment «escapat», no solament de l'hospital sinó també de l'escola, tornar a la sala de pediatria des del soterrani es feia gairebé impossible. Quaranta-quatre pisos i centenars de pacients i metges i infermeres separaven el noi del seu objectiu.

—Si em pesquen, tot s'haurà acabat —va dir.

—Ja ho sé —va respondre el conserge—. L'haurem de disfressar.

En Tom va veure una llitera vella d'hospital en un racó del cau del conserge.

—I si fingeixo que sóc un pacient greument malalt? —va preguntar—. Vostè podria tapar-me amb un llençol i després traslladar-me a la sala de pediatria. Ningú no sabria que sóc jo.

—Un pla excel·lent, jove senyor Thomas... —va dir el conserge.

En Tom estava a punt de jeure a la llitera quan l'home va dir:

—Però s'oblida d'una cosa. Una cosa molt important.

—Quina?

—Que Sir Quentin Strillers em va acomiadar a causa del que d'ara en endavant anomenarem «l'incident de l'anciana voladora». Per tant, tots dos ens haurem de disfressar.

—Ho sento, me n'havia oblidat —va respondre el noi, desanimat—. Potser funcionaria millor si ens canviéssim els papers?

—Què vol dir?

—Vull dir que jo puc ser el metge i vostè el pacient! Podria tapar-lo amb un llençol.

—En tinc un aquí mateix! —va respondre el conserge.

L'home va agafar un llençol blanc que de tan vell s'havia tornat gris. El va espolsar i un núvol de pols va omplir l'habitació del soterrani. La tempesta de pols va fer que tots dos comencessin a estossegar i a esgargamellar.

—Perdó! —va dir el conserge—. Però, senyor Thomas, com vol que algú s'empassi que vostè és un adult?

El noi era extremament baix per a l'edat que tenia.

—Hem de poder trobar una solució. He de ser més alt. Si tingués unes xanques...

—Jo tinc una cosa que pot anar bé!

El conserge va remenar per un racó del seu cau. Va descartar tota mena d'objectes sobrants de l'hospital. Guants de goma, estetoscopis, provetes, plats de metall, pinces... tot ho va anar llançant més enllà d'on era en Tom fins que finalment va trobar el que estava cercant.

Un parell de cames protètiques. Estaven fetes de plàstic, pensades per a persones que haguessin perdut una cama per un accident o una malaltia.

—Aquest parell de cames haurien de fer el fet! —va dir el conserge, tot passant-les al noi.

Però no es tractava ben bé d'un parell.

En Tom les va examinar.

—Són dos peus esquer-res —va dir el noi.

—Qui ho mirarà?! —va respondre el conserge, amb confiança—. Li puc deixar uns pantalons meus per tapar les cames.

—D'acord, provem-ho! —va respondre en Tom.

Tot seguit van comprovar que hi havia via lliure i van sortir de l'habitació del conserge al soterrani de l'hospital. El conserge havia deixat a en Tom el parell de pantalons més nets que tenia, però tot i així estaven plens de llànties. També havia trobat dues sabates del peu esquerre per posar-les als peus protètics. Evidentment, eren sabates diferents. Una era un mocassí negre, i l'altra, una sabatilla esportiva blanca.

En Tom s'havia posat una bata blanca llarga i, per completar la imatge total, el conserge li havia pintat un bigoti. Inestable amb les cames noves, en Tom va trontollar pel passadís, empenyent la llitera vella i rovellada. Sota el llençol polsós de la llitera jeia el conserge, que gaudia d'aquell moment únic en què, per variar, algú l'empenyia a ell.

—A la sala de pediatria! I de pressa! —va ordenar l'home.

—Aniré tan de pressa com em portin les cames —va respondre el noi.

—**La veu més greu, si us plau!**

—Què?

—Si la gent ha de creure que és un adult, haurà de parlar amb **la veu més greu.**

En Tom ho va tornar a provar, aquesta vegada amb una veu molt **més greu.**

—Aniré tan de pressa com em portin les ca-mes.

—Ara és massa greu!

El noi va sospirar i ho va tornar a intentar.

—**Aniré tan de pressa com em por-
tin les cames**.

—Perfecte! —va dir el conserge.

En Tom va arrencar, i de seguida va ensopegar i va enviar la llitera a tota velocitat contra una paret. El conserge hi va anar a picar de cap. Molt fort.

—Ai!

—Ho sento! —va dir en Tom.

—Almenys ara ja no hauré de fer veure que estic ferit! —va dir el conserge.

Tots dos van riure i van continuar tan ràpid com van poder en direcció als ascensors.

CAPÍTOL 50

PAPADUMS

—És impossible que la matrona torni a caure en la trampa dels bombons amb somnífer —va dir en Tom mentre pujaven amb l'ascensor.

—Ja ho sé —va dir el porter, ajagut a la llitera—. Per això haurem de fer una aturada no prevista.

L'home va treure la mà de sota el llençol i va prémer el **36**.

—Què hi ha, en aquesta planta? —va preguntar en Tom.

—La farmàcia.

*PIN*G*!*

Les portes es van obrir a la planta trenta-sis.

Amb les seves «xanques», en Tom se sentia com una cria de gasela que fa les primeres passes. Esforçant-se per mantenir l'equilibri, s'aferrava a la llitera com si se l'estigués jugant. Era tard, i el passadís estava buit. Sota el llençol, el conserge anava donant instruccions al noi.

—A l'esquerra...

CRAIX!

—Compte amb el banc.

BANG!

—I amb el mostrador!

BUUUM!

—Va bé alentir la marxa quan travesses les portes!

—Ho sento! —va dir en Tom. El noi no hi podia fer res. Necessitava temps per habituar-se a mantenir l'equilibri sobre les cames protètiques.

—Ara, quan arribem a la farmàcia, haurà de demanar una xeringa i cinquanta mil·lilitres de sèrum somnífer.

—I què en farem, d'això?

—Posarem a dormir la matrona fins demà al matí.

—Però de prop no s'ho creuran pas, que sóc metge! —va protestar en Tom.

—Tranquil. L'ancià que fa el torn de nits a la far-màcia és sord com una tàpia i cec com un ratpenat.

—Això espero! —va respondre en Tom.

—Ara ens hem d'afanyar! És aquí mateix, a mà esquerra.

En aquell instant, un pacient amb pijama i amb tots els dits embenats va aparèixer per una cantonada i la llitera se li va encastar a la panxa.

—AI! —va cridar en Raj.

—Ho sento molt! —va respondre en Tom mort de por.

—Més greu! —va xiuxiuejar el conserge des de sota el llençol.

—Qui ho ha dit, això? —va voler saber en Raj.

—**Ah, ha estat el meu pacient!** —va res-

pondre en Tom amb la veu més greu—. **Vol dir que el mal que li fa el cul... és «més greu» que no pas abans.**

—Mmm. Bé, doctor...

—Qui és el doctor? —va preguntar en Tom.

—Vostè —va respondre en Raj, desconcertat.

—Ah, sí, disculpi. Me n'havia oblidat.

Per un instant, en Raj es va quedar mirant fixament aquella persona tan estranya. En Tom va començar a notar que la suor li rajava per la cara.

—Veurà, doctor, buscava la sala de pediatria. Un jove client, de fet, un dels cent clients favorits del meu quiosc, és a l'hospital com a pacient.

—En George! —va exclamar en Tom.

—Sí, es diu així! La nit passada em va prendre la comanda de menjar per emportar i encara no m'ha arribat. Era una comanda de no res. Només uns papadums, ceba bhaji, samosa, jalfrezi, aloo chaat, llagostins tandoori masala, balti de verdures, peshwari naan, chapati, aloo gobi, matar paneer, tarka dhal, papadums...

—Papadums ja ho ha dit...

—Sí, ja ho sé, doctor. En vull dues racions. Amb una mai no n'hi ha prou. Chutney de mango, paneer masala, arròs pilau, bharta, xai rogan josh.

—Això serà tot?

—Sí. Em sembla que sí. He dit papadums?

—Sí. Dues vegades!

—Necessito tres racions de papadums. Mai no se'n tenen prou, de papadums!

—Queda clar que no!

—Aleshores, em pot dir on és la sala de pediatria?

—No el deixi pujar! —va xiuxiuejar el conserge des de sota el llençol.

—Pujar on? —va voler saber en Raj.

—Al cul! —va respondre en Tom—. Fa molt de mal.

El quiosquer semblava desconcertat.

—I ara, si us plau, doctor, digui'm on és. Fa hores que pujo i baixo per aquest hospital del dimoni intentant trobar-la.

—Ha de mentir! —va xiuxiuejar el conserge.

—Mentir? Què vol dir, «mentir»? —va dir en Raj.

—Diu que vol «dormir». Per no sentir el mal al cul.

El quiosquer es va quedar mirant la figura de sota la llitera.

—Ja ho està, d'adormit, oi?

—S-s-sí —va barbotejar en Tom—. Ara sí. Abans estava semiconscient. Un grau, aproximadament.

—Per última vegada! —va exclamar en Raj—. On és la sala de pediatria?

—Baixi amb l'ascensor fins a la tercera planta.

—Sí?

—Travessi el passadís fins a l'altre extrem de l'hospital.

—Sí?

—Trobarà una escala.

—Sí?

—Pugi a la planta de dalt.

—Sí?

—Surti per la porta doble.

—Sí?

—Trenqui per la primera a l'esquerra.

—Sí?

—La segona a la dreta.

—Sí?

—Vagi fins al final del passadís. Veurà unes portes dobles davant seu.

—Sí?

—Ignori-les.

—Sí?

—La primera a l'esquerra.

—Sí?

—Es recorda de tot?

—No. De res.

En Tom va assenyalar a l'atzar cap al final del passadís.

—Per allà.

—Gràcies! —va dir en Raj—. No pateixi, que li guardaré un trosset de papadums!

—Molt amable! —va respondre el noi mentre observava el pobre home que desapareixia passadís enllà.

—Bona feina, doctor! —va bromejar el conserge—. Aquest ja no el tornarem a veure! I ara, a la farmàcia!

En Tom conduïa la llitera pel passadís. A l'altra punta hi havia una finestreta per on el farmacèutic lliurava els medicaments.

Un home gran seia a l'altra banda de la finestra corredissa. El senyor Cod duia un audiòfon i ulleres rodones de cul de got. Estava molt enfeinat xarrupant sorollosament el contingut d'una tassa de te extraordinàriament grossa.

En Tom va respirar fondo i s'hi va adreçar.

—Bon vespre...

—Més greu! —es va sentir un xiuxiueig des de sota el llençol.

El noi ho va tornar a intentar, aquesta vegada amb la veu més greu.

—Bon vespre.

El senyor Cod no va alçar la vista.

—No respon! —va xiuxiuejar el noi.

—En Cod es deu haver tornat a oblidar de connectar l'audiòfon —va dir el conserge—. Haurà de cridar!

—BON VESPRE! —va cridar el noi.

—NO CAL QUE CRIDI, DOCTOR, NO SÓC PAS SORD! —va cridar el senyor Cod.

—Ho sento! —va dir en Tom.

—Què ha dit? —va preguntar l'ancià, alçant el puny.

—Potser caldria que connectés el seu audiòfon, senyor Cod!

—No sento ni una paraula! Deixi que connecti l'audiòfon.

El senyor Cod va desar la tassa i va remenar el dial de l'audiòfon. Com que semblava que no passés res, va colpejar violentament la caixa amb els artells i l'aparell va cobrar vida deixant anar un xiulet.

—Molt bé, en què el puc ajudar, doctor? —va preguntar el senyor Cod.

En Tom va somriure. El pla funcionava prou bé.

—Necessito una xeringa i cinquanta litres de sèrum per dormir, si us plau.

El senyor Cod se'l va quedar mirant, desconcertat.

—Per què ho necessita, tot això? Que vol fer dormir un hipopòtam?

—Mil·lilitres! —es va sentir un xiuxiueig des de sota els llençols.

—Qui ho ha dit, això? —va preguntar el senyor Cod.

—Ha estat el meu pacient —va respondre el noi.

—Com és que el pacient sap millor el que necessita que no pas vostè? Se suposa que és vostè, el metge!

El noi es va quedar un moment pensant.

—Veurà, és que el meu pacient està, per fer servir el terme mèdic correcte, lleugerament «com un llum». El pobre home es pensa que és metge. Delira!

—Això no explica que conegui la dosi correcta —va respondre l'ancià.

En Cod tenia raó.

—Bé —va continuar en Tom, que es començava a impacientar—. Delira de tal manera, que s'ha convertit en un metge brillant. De fet, ara mateix me l'enduia cap al quiròfan.

—Per què?

—Per practicar una operació. Per això necessitem tot aquest sèrum.

El senyor Cod va brandar el cap, cansat.

—Em pensava que ja ho havia vist tot. Cinquanta mil·lilitres de sèrum per dormir, de seguida.

El farmacèutic va saltar del tamboret i va sortir disparat cap a la part posterior de la farmàcia.

—Ben fet —va dir el conserge.

—No hauria de dir, «ben fet, doctor?» —va dir el noi, amb una rialla.

—No sigui arrogant, jove senyor!

Quan el senyor Cod va tornar amb el sèrum, va ensopegar lleugerament i la medicació li va caure sobre el mostrador. En ajupir-se per recollir-la, va veure els peus d'en Tom.

50 ml
SÈRUM
PER
DORMIR

—Vostè té dos peus esquerres! —va observar el senyor Cod.

—Sí —va respondre el noi—. La majoria de persones tenen només un peu esquerre, però jo tinc la sort de tenir-ne dos.

—Mai no havia sentit a parlar d'una cosa semblant! —va exclamar el farmacèutic.

—Bé, deixant de banda els balls de saló, mai no he tingut cap problema. Moltes gràcies.

El senyor Cod va mirar fixament a través de les ulleres gruixudes, esguardant amb gran suspicàcia aquell «metge».

—Ha de signar aquí —va murmurar en Cod.

Va passar un formulari mèdic per sobre del mostrador.

—Gràcies —va respondre el noi—. Té un bolígraf?

El farmacèutic va negar amb el cap.

—Un altre metge sense bolígraf!

En Cod es va treure una ploma de la butxaca del pit de la bata de laboratori.

—Compte no se la quedi pas!

El farmacèutic va fer rodar la ploma pel mostrador i aquesta va caure a terra. En Tom es va inclinar per recollir-la i va perdre l'equilibri.

–Arrrggghhh!

ZUD!

En Tom va quedar espatarrat a terra. Se li havien desenganxat les cames protètiques.

En Cod va abaixar la mirada.

—Li han caigut les cames! —va dir.

—Sí. Ja no les necessitaré —va respondre en Tom—. Les pot donar a qui li puguin fer servei.

—Vostè no és cap metge! —va exclamar en Cod—. És un nen! Deu ser el nen que tot l'hospital està buscant!

—Sí que és metge! —va dir el conserge des de sota el llençol—. Igual que jo!

—Vostès en porten alguna de cap! —va cridar en Cod, tot esverat—. Ara mateix trucaré a la seguretat de l'hospital!

En Tom es va aferrar a la llitera i va arrencar a córrer pel passadís, estampant-se contra les portes corredisses amb un terrorífic

BANG!

—Serà millor que toquem el dos! —va dir el conserge—. Té la xeringa?

—Sí —va respondre en Tom—. Què en farem?

—Molt senzill! Clavar-la al cul de la matrona!

CAPÍTOL 52

MAL AL CUL

*PIN***G***!*

Les portes de l'ascensor es van obrir al pis quaranta-quatre. A l'altra punta del passadís es veien les enormes portes batents que donaven a la sala de pediatria.

—Com ho farem per punxar la xeringa al cul de la matrona? —va preguntar en Tom. Subjectava la xeringa plena del sèrum somnífer mentre feia rodar la llitera tan silenciosament com podia—. Ho deu estar vigilant tot com un falcó.

—Hem de fer servir el factor sorpresa, jove senyor Thomas! —va respondre el conserge. L'home va treure el cap de sota del llençol brut que tapava la llitera—. La matrona no ens pot veure venir. Si no volem que ens **ENXAMPI**.

—Tenim la llitera. Això ens permetrà ser veloços —va suggerir en Tom, pensant en veu alta.

—Sí. És clar, en un món ideal necessitaríem que la matrona estigués d'esquena a nosaltres, ajupida.

En Tom va aturar la llitera. Ara tot just estaven a poques passes de les portes.

—Tinc una idea! —va dir emocionat—. Encara du la Professora Coloma a la butxaca?

—Sí, és clar —va respondre el conserge—. M'acompanya en aquesta aventura.

—Perfecte! Aleshores la deixarem anar a la sala de pediatria. L'ocell volarà amunt i avall i la matrona es distraurà. Ja ha sentit abans fins a quin punt odia els coloms!

—És un pla excel·lent, senyor. Molt excel·lent.

Tots dos es van posar de quatre grapes i van reptar pel passadís que conduïa a la sala de pediatria. En Tom va empènyer una mica una de les portes i la va mantenir oberta. En veure per la finestra la resplen-

dor del rellotge del Big Ben, es va adonar que només faltaven uns minuts per a la mitjanit.

El noi va espiar a través de l'espai entre les portes. Tots els llums de la sala estaven apagats, i els nens dormien als llits respectius. En Tom va reconèixer les siluetes d'en George, l'Amber i en Robin. En canvi, no va poder distingir el llit de la Sally, perquè estava a l'altra punta de la sala. Un raig de llum sortia del despatx de la matrona, que seia tota recta, amb els ulls atents a qualsevol possible moviment.

El conserge va ficar la mà a la butxaca i en va treure l'au d'una sola ala. Aleshores en Tom va obrir una mica més la porta perquè l'ocell hi pogués passar. Però la Professora Coloma no es volia moure. Potser l'ocell no es volia separar del seu amo? Fos quina fos

la raó, la criatura semblava decidida a quedar-se a lloc, i el conserge va haver d'agafar l'au i la va deixar dins de la sala. Però en comptes de posar-se a volar entremig dels llits, el fidel ocell es va quedar al costat de les portes, picotejant a terra.

—Vés, Professora Coloma! Vés! Vola com el vent! —va pregar l'home.

Una vegada més, l'ocell no va reaccionar. Era clar que aquell animal no tenia cap possibilitat de guanyar cap concurs de talents televisiu. I era una llàstima,  perquè el fet de tenir únicament una ala feia que la Professora Coloma tingués al darrere una història extraordinària.

—Tita! Tita! —la va encoratjar el conserge. Però l'ocell continuava sense fer absolutament res.

El conserge no va tenir altre remei que encabir-se de quatre grapes per l'espai que deixaven les portes obertes. Des d'allà va fer anar l'ocell cap a l'interior de la sala, en direcció al despatx de la matrona.

Una veu estrepitosa va emergir del silenci.

—QUI HI HA?

Era la matrona. Havia vist el conserge. El pla s'estava desfent més de pressa que quan estires un cabdell.

En Tom havia de pensar alguna cosa.

Per l'espai que hi havia entre les portes, va veure la dona que sortia del despatx. Va decidir fer retrocedir la llitera pel passadís. Aleshores va empènyer cap endavant, va agafar impuls i s'hi va enfilar, amb la xeringa a la mà.

BANG!

La llitera va picar contra les portes i les va obrir de bat a bat.

Davant seu, en Tom podia veure el cul perfectament rodó de la matrona. La dona estava inclinada, provant d'alçar el conserge de terra.

—És vostè, conserge! Alci's ara mateix, home repugnant! Vull que surti de seguida de la meva sala! M'ha sentit? DE SEGUIDA!

Des de darrere del seu darrere, va treure el cap. Devia haver sentit el xerric de les rodes de la llitera i s'havia girat.

XERRICCC!

—Thomas? —va cridar.

Però ja era massa tard.

L'agulla de la xeringa es va clavar al cul.

—AI! —va cridar de dolor.

En Tom va fer lliscar avall la part superior de la xeringa i hi va introduir el sèrum somnífer.

El cos de la matrona es va arquejar.

I aleshores...

ZUD!

La dona va quedar immediatament adormida a terra, i es va posar a roncar sorollosament.

—ZZZZZz, ZZZZZz, ZZZZZz, ZZZZZz...

CAPÍTOL 53

BONG!

L'Amber, en George i en Robin ja havien sortit del llit i eixarrancada la seva enemiga, que havia quedat tota eixarrancada a terra. La matrona, habitualment immaculada, ara mostrava un aspecte certament indigne. Tenia les cames i els braços oberts com una estrella de mar, i de la boca li queia un rajolí de bava.

—OK, colla dels Amics de Mitjanit, ha arribat el moment de passar a l'acció! —va dir en Tom—. On és la Sally? Sally?

L'Amber no va dir res quan en Tom va mirar cap al llit de la Sally.

Estava buit.

En Tom es va girar cap als altres nens en busca d'una explicació. Les cares tristes explicaven el que havia passat.

—Què? —va preguntar el noi—. On és la Sally?

—Mentre tu no hi eres, Tom —va començar l'Amber—, la pobra Sally ha empitjorat.

—Oh, no —va dir en Tom. Amb tantes emocions, havia oblidat que la nena estava molt malalta.

—I l'han dut a una sala d'aïllament —va afegir en Robin.

—I què passarà amb el seu somni? —va suplicar en Tom.

Tots els nens van negar amb el cap.

—Aquesta nit no podrà ser, Tom —va respondre l'Amber—. És impossible.

—Ho sento, Tom —va dir en George, posant la mà sobre l'espatlla del seu amic.

—Almenys ho hem intentat —va murmurar el conserge—. Però temo que s'ha acabat.

Es va fer el silenci a la sala de pediatria.

BONG!

El Big Ben va començar a tocar les dotze.

BONG!

Tots els de la colla van escoltar...

BONG!

... i van acotar el cap.

BONG!

El temps s'estava acabant.

BONG!

Res no el podia aturar.

BONG!

El moment se'ls escapava de les mans.

BONG!

Havien de fer alguna cosa!

BONG!

Per la Sally!

BONG!

La nena mereixia fer realitat el seu somni...

BONG!

... més que no pas ells.

BONG!

Hi havia d'haver alguna manera.

BONG!

Quan va haver tocat l'última campanada, en Tom va anunciar:

—Esteu molt equivocats.

CAPÍTOL 54

JUNTS

—Ja comencem... —va murmurar en Robin.

—Continua, si us plau! —va dir l'Amber, amb un to sarcàstic a la veu. La noia no estava gens acostumada que li diguessin que s'equivocava.

—Si han dut la Sally a la sala d'aïllament, més raó encara per fer-ho aquesta nit —va dir en Tom—. Una vegada li vaig fer una promesa i no la vaig complir. No puc tornar-li a fallar.

—Però Tom, si és a la sala d'aïllament, deu estar massa malalta! —va exclamar l'Amber.

—Ja ho decidirà la Sally, si està en condicions o no —va respondre en Tom—. Mireu, tots nosaltres sabem que ens recuperarem. Robin, tu tornaràs a veure-hi. Amber, les cames i els braços se't guariran. L'operació d'en George ha estat un èxit, per bé que no hauries de menjar tantes xocolatines.

—Ja ho sé! —va respondre en George—. D'ara endavant només en menjaré una capsa petita cada dia.

En Tom va somriure, però en George no feia pas broma.

—La Sally no sap quan es posarà bona. Ens ho va dir ella mateixa. Que l'hagin enviat a la sala d'aïllament em fa mala espina. Deu voler dir que ha empitjorat. Hem de fer realitat el somni de la Sally aquesta mateixa nit!

—El noi té raó —va accedir el conserge.

—Sí, sí, sí —va dir l'Amber, parlant pels altres dos nois—, però el seu somni, això d'experimentar tota la vida sencera, és tan...

—Extraordinari? —va suggerir en George.

—Sí! —va respondre l'Amber—. La colla dels Amics de Mitjanit ha fet coses molt bones. Tots ens ho hem passat bé...

—Jo no he aconseguit pas volar —es va queixar en George.

—Vaja, sempre hi ha algú que no està content —va murmurar en Robin.

—... però això va molt més enllà —va continuar la nena.

—Per això mateix ho hem d'intentar. Per la Sally —va dir en Tom—. Li donarem la vida bona i meravellosa que mereix. Ho hem de fer! Si us plau! Tots junts ho podem aconseguir. Com una colla. Sé que podem. Votem. Qui s'hi apunta? Alceu la mà!

El conserge i els dos nois van alçar ràpidament les mans. Tots es van quedar mirant l'Amber.

—Amber? —va dir en Tom—. T'hi apuntes?

—Sí, és clar que m'hi apunto! —va cridar la nena—. Però no puc alçar les mans, que no ho veus?

—Molt bé, doncs, colla dels Amics de Mitjanit —va dir en Tom—. En farem una de ben

SONADA!

CAPÍTOL 55

ARRAULIDA ENTRE COIXINS

En Tom va explicar als altres nens la idea que havia concebut per fer realitat el somni de la Sally. Tots els membres dels Amics de Mitjanit, incloent-hi el membre fundador, el conserge, hi van afegir propostes.

A continuació, el conserge va baixar amb l'Amber, en George i en Robin al quiròfan per començar a preparar-ho tot. Mentrestant, en Tom va anar tot sol a la sala d'aïllament per treure'n la Sally. No obstant això, res no podria haver-lo preparat per al que estava a punt de veure.

Després d'ajupir-se per passar sense que el veiessin per davant de la sala d'infermeres, el noi va amorrar el rostre contra el vidre que donava a l'habitació de la Sally. Un garbuix de cables i tubs serpentejava al voltant del llit. L'habitació estava farcida de màquines platejades que xiulaven i pantalles d'ordinador que parpellejaven. Servien per monitorar el batec del cor, la pressió sanguínia i la respiració de la menuda. Allà enmig hi havia la petitona. El cap rapat de la Sally estava ben arraulit entre els coixins, i tenia els ulls tancats.

En Tom va dubtar. Sentia que no feia bé de destorbar-la. Potser era millor que tornés a buscar els altres per dir-los que, al capdavall, no podrien fer realitat el somni de la Sally?

Quan en Tom estava a punt de girar-se per marxar, els ulls de la nena es van obrir. Un somriure se li va dibuixar al rostre quan va reconèixer el seu amic. Amb un petit moviment de cap va indicar al noi que entrés a l'habitació.

Per tal de no alertar la infermera que traginava passadís enllà, en Tom va obrir la porta tan silenciosament com va poder. Va entrar i es va acostar dubitativament al llit.

La Sally el va mirar als ulls i va preguntar:

—Per què has trigat tant a venir-me a buscar?

En Tom va somriure.

El joc estava a punt de començar!

CAPÍTOL 56

QUE NO DORMI NINGÚ

El quiròfan era una sala enorme, resplendent, amb una gran finestra de vidre en un dels costats. Hi havia uns llums grans i brillants encastats al sostre. Eren tan brillants que, si els miraves directament, corries el risc de veure les estrelles.

En Tom va fer rodar el llit de la Sally fins al centre de la sala.

—Estic molt nerviosa! —va dir la nena.

—Bé. Estem a punt de començar. Tothom preparat? —va preguntar en Tom.

—Preparats! —van respondre l'Amber, en Robin i el conserge.

—Encara no! —va cridar en George, que estava remenant alguna cosa—. Ara sí. Preparat.

—Has seleccionat la música, Robin? —va preguntar en Tom.

—Sí! —va respondre en Robin—. Quan sentis el primer compàs, ja podrem començar.

Mentre en Robin posava el CD en el reproductor, els altres van ocupar els llocs respectius a la sala d'operacions.

La música va començar. Era el so inconfusible de l'ària operística més famosa del món: «Nessun dorma», de l'òpera de Puccini *Turandot*.

La traducció catalana de «Nessun dorma» és «Que no dormi ningú», un lema escaient per als Amics de Mitjanit. L'enregistrament estava cantat en italià, i la traducció és aquesta:

Que no dormi ningú!
Que no dormi ningú!
Fins i tot vós, oh, princesa,
en la vostra freda habitació,
esguardareu les estrelles,
que tremolen d'amor i d'esperança.

Aquestes paraules podrien haver estat escrites pensant en la Sally. Era una peça musical majestuosa i perfecta per acompanyar els minuts següents, que havien de representar una vida sencera.

Del llit estant, la Sally va contemplar meravellada els nens que s'afanyaven amb els preparatius a la sala d'operacions. En Robin s'havia col·locat a la part posterior de l'habitació, amb un projector de diapositives. Quan va escoltar el començament de la seva ària estimada, va pitjar l'interruptor del projector i la màquina va cobrar vida. La primera diapositiva es va projectar a la paret del quiròfan, just davant de la Sally.

Deia així: **RESULTATS DELS EXÀMENS**.

La Sally va deixar anar una rialleta.

—Oh, no!

Aleshores en Tom va col·locar al cap de la Sally un barret negre i quadrat que havia fabricat amb una capsa de cereals. Després li va lliurar un full de paper enrotllat i lligat amb un llaç vermell. La Sally va desenrotllar el «certificat d'examen» i va comprovar complaguda que li havien posat excel·lents en totes les assignatures imaginables.

—Sí! —va dir—. Sempre he sabut que era un geni! El problema és que ningú no se n'havia adonat fins ara!

RESULTATS DELS EXÀMENS

MATEMÀTIQUES: 10
CIÈNCIA: 10
ANGLÈS: 10

A continuació, en Robin va pitjar el botó del projector per donar pas a la diapositiva següent: **EL PRIMER COTXE**.

El conserge va passar un plat a en Tom perquè el passés a la Sally. L'havien pintat amb un retolador perquè semblés el volant d'un cotxe. També hi havien escrit les paraules «Aston Martin», el famós fa-

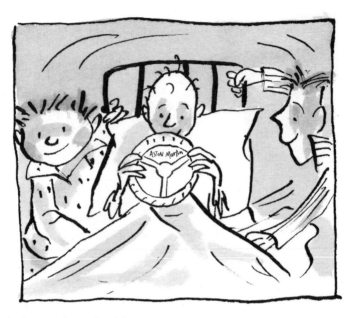

bricant de vehicles de luxe. Aleshores tots dos van
començar a fer girar el llit de la Sally mentre la nena
feia veure que conduïa. Per realçar la sensació de ve-
locitat, en George corria en la direcció contrària al
llit de la Sally, subjectant uns petits arbres de plàstic
de Nadal.

Després va sortir **EL PRIMER PETÓ**.

El conserge va lliurar un ram de flors a en Tom i el
va empènyer cap a la Sally. El noi es va acovardir no-
més de pensar-hi, i va passar les flors a en George.
Semblava evident que en George tampoc no era gai-
re aficionat a fer petons, i va passar les flors a l'Am-
ber. L'Amber les va acceptar i va ordenar a en Tom

que l'acostés a la Sally. Aleshores va lliurar el ram a la seva amiga i li va fer un petonet a la galta.

En acabar aquest capítol de la vida de la Sally, de seguida en va començar un altre:

UNES VACANCES AL SOL.

El conserge va treure dues safates de menjador que en George havia lligat amb un cordill als peus de la Sally. Després el conserge va lliurar a la nena un tros de corda amb un mànec en un dels extrems. Al començament, la Sally semblava del tot desconcertada i no sabia què fer. L'altra punta de la corda estava lligada a la cadira de rodes de l'Amber. Aleshores el conserge va empènyer la cadira cap endavant, cosa

que va fer que la Sally s'incorporés damunt de les sa-
fates.

Estava fent esquí aquàtic!

La Sally va riure davant la inventiva dels seus
amics.

A continuació, va arribar: **EL DIA DEL CASA-
MENT**.

Quan la Sally va tornar a seure al llit, en Tom li va
posar un vel nupcial sobre el cap. El vel estava fet
amb capses i més capses de mocadors blancs de pa-
per. En George va tornar a lliurar a la Sally el ram de
roses i de seguida la noia va semblar una núvia el dia
del seu casament.

Aleshores el conserge va treure un barret de copa
negre que en realitat era una galleda. Estava reservat

per al nuvi. Però qui es casaria amb la Sally, aquella nit?

El conserge el va posar al cap d'en Tom, que el va posar al cap d'en George, que el va posar al cap d'en Robin, que ja no tenia ningú a qui posar-l'hi.

—Què és això? —va preguntar en Robin.

—Estàs a punt de casar-te —va dir en George.

—Amb una nena? —va preguntar el noi.

—Sí!

—Això no passarà mai! —va respondre en Robin. Es va treure el barret i el va tornar a en George, que el va posar al cap de l'Amber.

—Sembla que t'hauràs de casar amb l'Amber —va dir el conserge.

—Encantada! —va respondre la Sally.

El conserge va lliurar a l'Amber un gran anell metàl·lic, que ella va col·locar al dit de la Sally. Tot i que no era d'or, que era excessivament gran i que l'havien agafat d'una cortina de dutxa, a la Sally se li va escapar una llàgrima. Potser el casament no era real, però el sentiment sí que ho era. En Tom i en George van treure unes bosses d'arròs i van començar a llançar-lo sobre la feliç parella. El conserge va apagar i encendre els llums per simular el flaix d'una càmera. Era una foto de casament perfecta.

—Expliqueu-me el que veieu! —va cridar en Robin amb impaciència.

—La Sally està plorant —va respondre en Tom.

—Són llàgrimes de tristesa o de felicitat?

—De felicitat! —va respondre la Sally, eixugant-se-les.

En Robin va somriure i va pitjar el botó per deixar pas al capítol següent: **EL NADÓ**.

En veure aquesta paraula, la Sally es va posar a riure. Com serien capaços de simular un nadó? No n'agafarien pas cap de la sala de maternitat! En George es va posar una gorra d'infermera i va passar a la nena un farcell embolicat amb una manta. La Sally va notar que el farcell es bellugava, el va obrir i de

sota va sortir la Professora Coloma. L'ocell duia una gorra petita de nadó, feta amb un guant de goma esterilitzat. Quan va veure la cara de l'ocell, la Sally va somriure i després li va acaronar el cap amb gran tendresa. L'animal va parrupejar.

Després, els Amics de Mitjanit van passar directament al capítol següent de la vida de la Sally: **LA FEINA**.

El conserge va ordenar als nois que traguessin una pantalla d'hospital pintada de manera que semblava la porta d'entrada del número 10 de Downing Street, la famosa residència del primer ministre britànic. La van col·locar darrere de la Sally, que no es va poder estar de riure.

—Sempre vaig saber que aconseguiria una feina de primera!

Mentrestant, el conserge havia col·locat una corona al cap de l'Amber. Estava fabricada amb la tira de cartró d'una capsa de cereals. Amb uns adhesius, hi havien enganxat uns caramels amb revestiment de colors. Els papers de colors llampants i diferents, blancs, verds i vermells, ja que la matrona s'havia cruspit tots els de color morat, feien l'aparença de diamants, maragdes i robins. En Robin va apagar i va encendre el llum diverses vegades.

CLIC!

Semblava el flaix d'una càmera que immortalitzava el moment en què la primera ministra rebia la reina d'Anglaterra.

ELS NÉTS era la diapositiva següent.

—Tan aviat?! —va cridar la Sally, quan li van lliurar sis cries de colom acabades de sortir de l'ou, embolicades amb una tovallola. Ara que la Professora Coloma havia estat mare, la Sally ja era àvia!

—Sis nadons! —va exclamar la Sally.

—Sexagèmins! —va dir l'Amber.

—Espero que no siguin nadons de veritat! —va cridar en Robin.

—Són cries de colom —va respondre la Sally—. Me'ls estimo tots!

Quan «Nessum dorma» va arribar al seu emocionant crescendo, els Amics de Mitjanit van encerclar el llit de la seva amiga amb els accessoris i vestits de tota una vida. L'Amber es va tornar a posar la corona. En George va obrir la porta del 10 de Downing Street. El conserge va enretirar les sis cries de colom i va estirar la corda perquè la nena pogués tornar a fer esquí aquàtic.

«Nessum dorma» va arribar al seu magnífic final, amb la cantant d'òpera aguantant la darrera nota durant un temps que va semblar interminable. Amb l'ajut dels altres, la Sally es va posar dreta i va fer una reverència.

—Aquesta és la meva vida! —va exclamar la noia.

El grup sencer la va victorejar.

—VISCA!

Però aleshores, de cua d'ull, en Tom va albirar alguna cosa. A l'altra banda de l'enorme finestral de la sala d'operacions s'havia reunit una munió de gent. El director de l'hospital, Sir Quentin Strillers, s'estava al davant de tot i darrere seu hi havia una dotzena de metges i infermeres d'aspecte seriós. Tots ells esguardaven fixament el grup.

El conserge es va donar que en Tom estava distret per alguna cosa.

—Què passa, Tom? —va xiuxiuejar.

—Mireu tots! —va respondre el noi.

El conserge, l'Amber, en George i la Sally van se-
guir l'esguard del noi i van veure el grup de gent que
s'aplegava a l'altra banda del vidre.

—Oh, no —va fer en Tom—. Ara sí que ens
hem ficat en un bon embolic.

CAPÍTOL 57

FER-LA
SOMRIURE

Un silenci fantasmal s'havia apoderat dels dos grups que s'esguardaven a través del vidre que separava la sala d'operacions de la sala d'aïllament.

Aleshores va passar la cosa més inesperada.

El director de l'hospital es va posar a aplaudir. Els metges i infermeres que l'acompanyaven també van començar a picar de mans. Per l'expressió dels seus rostres, era evident que s'havien sentit profundament commoguts per l'espectacle que acabaven de veure.

—Què està passant? —va preguntar en Robin.

—Sembla que finalment no ens hem ficat en cap embolic —va respondre en Tom.

L'Strillers va entrar a la sala, flanquejat pels metges i les infermeres.

—Ha estat preciós —va exclamar l'home—. Preciós i meravellós.

—Gràcies! —va dir l'Amber—. En general, tot ha estat idea meva.

En Tom va mirar en George i el conserge i va posar els ulls en blanc.

—Bé, doncs, joveneta, en aquest cas la felicito efusivament. Sabeu quina ha estat la part més emotiva?

—Aquella en què jo pitjava els botons del projector? —va preguntar en Robin.

El director no va captar el sentit de l'humor càustic del noi i va contestar de manera seriosa.

—No, jove, per bé que ho ha fet de primera, això de pitjar els botons. El que ha estat veritablement meravellós per a mi ha estat veure somriure la meva petita pacient.

Dit això, va procedir a donar uns estranys copets al cap a la Sally. La nena, que fins aleshores havia estat somrient, es va sentir més aviat molesta amb

aquell home que amb prou feines coneixia i que la tractava com si fos un gos.

—Tot l'equip de metges i infermeres, tot el personal de **L'HOSPITAL LORD FUNT** ha treballat de valent per ajudar la jove Susie...

—Sally —va dir la Sally.

—N'estàs segura? —va preguntar l'Strillers.

—Sí —va respondre la Sally—. Em dic Sally. Segur. Són coses que no s'obliden.

—Si vol es pot canviar el nom per Susie, si això l'ajuda, Sir Quentin —va oferir en Robin.

—No, gràcies, no serà necessari, noi —va dir el director, que un cop més no havia captat la broma—. Però una cosa que mai no vam aconseguir, ni havíem pensat que fos possible, era fer-la somriure.

—Moltes gràcies, Sir Quentin —va dir l'Amber, entestada a endur-se tots els mèrits—. Jo em dic Amber, per cert, si està pensant de recomanar algú per al títol de lady.

—Sir Quentin, és important que sàpiga que tot això hauria estat impossible sense l'ajut d'aquest home —va dir en Tom abraçant fortament el conserge—. És l'home que vostè va acomiadar!

—Sí, sí —va murmurar l'Strillers—. Doncs bé, des de bon matí que m'inquieta aquesta decisió. Al capdavall, va ser el gran Lord Funt en persona qui va acollir aquest home quan era un nadó.

El conserge va somriure.

—S'ha criat aquí —va continuar Sir Quentin—. I treballa aquí des de fa molts anys.

—Quaranta-quatre anys! —va voler remarcar el conserge.

—De debò? Bé, no és escabellat dir que **L'HOS-PITAL LORD FUNT** és la seva llar. Sempre ho ha estat. I sempre ho serà. Veure l'expressió de felicitat al rostre de la Sally m'ha fet adonar que potser vostè és la millor persona que tenim a l'hospital. Disculpin-me, senyores i senyors, però aquest home val com cent metges i infermeres.

Els metges i les infermeres van murmurar disconformes.

—Gràcies, Sir Quentin, senyor —va respondre amb orgull el conserge.

—Aquí a l'hospital tenim molta cura de les malalties i les ferides de tots els nens —va continuar l'Strillers—, però mai no fem prou per la seva felicitat. Conserge, disculpi, com es diu?

—No ho sé —va dir el conserge—. Mai no he tingut nom.

—Què? Per què? —El director estava estupefacte—. Tothom en té, de nom!

—La meva mare em va abandonar el dia que vaig néixer —va continuar el conserge—. I ningú no em va voler adoptar. Per això suposo que ningú no va pensar a posar-me un nom.

—Això no és just! —va dir en Robin, parlant seriosament per una vegada.

—Hem de trobar-li un nom —va dir Sir Quentin—. N'hi ha algun que li faci patxoca?

—M'agrada Thomas! —va respondre el conserge.

En Tom va somriure amb timidesa.

—Doncs que sigui Thomas! —va proclamar el director—. I, per descomptat, Thomas, aquí vostè tindrà una feina per a tota la vida. Només m'ha de prometre que no hi tornarà a haver incidents d'ancianes nues voladores...

En Thomas sènior va somriure.

—Ho intentaré.

—Bé, s'ha fet molt tard —va dir Sir Quentin, consultant el rellotge d'or que duia penjat a l'armilla amb una cadena—. Tots els nens han de tornar al llit immediatament.

—Sí, senyor —van murmurar els nens.

—Avisaré la matrona perquè us vingui a recollir —va dir el director.

—Oh, no! —va exclamar en Tom, una mica massa de pressa, en recordar que la dona encara devia estar eixarrancada a terra com una estrella de mar—. El nostre amic aquí present, en Thomas sènior, ens hi pot acompanyar.

—Bé, doncs. Ja hi podeu anar. I no vull tornar a tenir notícies vostres en tota la nit!

En Thomas sènior va somriure i es va disposar a empènyer el llit de rodes de la Sally de la sala d'operacions. El seguien els altres quatre nens.

—No. La Sally ha de tornar a la sala d'aïllament —va ordenar Sir Quentin.

Tots els nens se'l van mirar abatuts.

—Però jo no hi vull tornar —va protestar la Sally—. Vull estar amb els meus amics. Si us plau.

El director semblava incòmode. Envoltat de metges i infermeres, havia de fer valer la seva autoritat. La nena estava malalta i l'hospital estava obligat a tenir-ne cura. L'home va mirar els que l'envoltaven.

Es van sentir murmuris de «deixi-la estar amb els seus amics», «faci feliç la nena» i «doni-li allò que vol».

—D'acord! —va udolar el director—. Sally, pots tornar a la sala de pediatria. Però només per aquesta nit.

—**SÍ!** —es va sentir un crit unànime.

La sala sencera va celebrar la bona notícia.

—Però vull que apagueu els llums immediatament perquè ja és hora que tots vosaltres feu una bona dormida.

—Com si somniéssim fer res de diferent, senyor —va respondre en Robin amb un somriure entremaliat.

CAPÍTOL 58
AQUESTA NIT ÉS PER SEMPRE

Ja eren les tres de la matinada quan els Amics de Mitjanit van tornar finalment a la sala de pediatria.

Per bé que sempre havia estat malvada amb ells, els nens se sentien culpables d'haver deixat la matrona a terra. Per això, amb l'ajut d'en Thomas sènior, la van col·locar en un dels llits perquè pogués dormir còmodament. Fins i tot la van acotxar. En Thomas sènior va anar al despatx de la matrona a fer una becaina.

Mentre la matrona roncava sonorament...

—ZZZZzz, ZZZZzz, ZZZZzz, ZZZZzz.

... els components dels Amics de Mitjanit van jugar a jocs diferents, van compartir caramels i van explicar-se contes. Quan l'excitació es va anar apaivagant i en George, en Robin i l'Amber es van quedar adormits, la Sally es va girar cap a en Tom.

—Gràcies, Tom —va dir—. Has estat molt amable de cedir-me el teu somni.

—Aquesta és l'essència dels Amics de Mitjanit —va respondre el noi—. Posem els amics per davant de tot.

—En aquest cas, has estat el millor amic de la història.

—Gràcies. Però ara hauries de dormir.

—Només volia preguntar-te...

—Sí?

—Quin hauria estat el teu somni? El que tu hauries volgut fer realitat.

—Sé que sembla estúpid, al costat del teu, però...

—Què?

—Voldria veure el meu pare i la meva mare. Res més.

—Això no és gens estúpid.

—Els trobo molt a faltar.

—On són?

—Molt lluny d'aquí. En algun lloc del desert. Quan m'amagava al soterrani, vaig sentir que la matrona deia que els havia penjat el telèfon una vegada i una altra.

—Com?

—I el director de l'escola es veu que crema les cartes que m'envien.

—Això és repulsiu!

—Ja ho sé. Em pensava que no volien saber res de mi...

—Però ara saps que sí.

—Això espero, Sally. Tinc ganes de veure'ls.

—Ho faràs. N'estic segura —va dir la Sally, amb una espurna a la mirada. Al cap d'un moment, va afegir—: He de reconèixer que ha estat una nit meravellosa, Tom. L'aventura de la meva vida.

—Me n'alegro. T'ho mereixes. Ets una noia molt especial. Però ara has d'anar a dormir.

—No vull. Vull que aquesta nit duri per sempre.

Però això era impossible.

Res no dura per sempre.

Encara que tots els nens de la sala de pediatria desitgessin que el temps s'aturés per poder viure eternament aquell moment, el sol matinal va començar a entrar per les altes finestres.

La nit s'havia acabat.

CAPÍTOL 59

«EM FA MAL EL CUL!»

Quan va trencar l'alba, per fi tot va quedar quiet i en silenci a la sala de pediatria. Però just quan en Tom tancava els ulls per posar-se a dormir, va sentir una veu coneguda que ressonava més enllà de la sala.

Era Sir Quentin Strillers.

—Matrona! —va udolar—. Què hi fa, ajaguda al llit?

En Tom va obrir un ull.

—Desperti, dona! —va cridar l'Strillers—. No li pago per dormir a la feina!

La matrona es va bellugar.

—On sóc?

—Al llit!

—A casa meva?

—No, a l'hospital!

—Estic malalta? —va preguntar. El sèrum somnífer que en Tom li havia injectat l'havia deixat grogui—. Em fa mal el cul!

—No, no està malalta, matrona! Però s'ha ficat en un bon embolic!

Els altres nens es van començar a despertar. Amb prou feines podien contenir l'alegria de veure com la seva adversària rebia aquella esbroncada de por.

—Ho sento molt, senyor —va dir ella.

—Amb sentir-ho no n'hi ha prou, matrona! Queda deslliurada de les seves responsabilitats a la sala de pediatria! Fins a nova ordre, en endavant netejarà els lavabos!

—Sí, senyor. Ho sento, senyor —va respondre la matrona. La dona va baixar pesadament del llit i va avançar cap a la porta, caminant amb una sabata posada i l'altra treta i fregant-se el cul adolorit.

En veure que Sir Quentin s'acostava al seu llit, en Tom va tancar els ulls i va fer veure que dormia.

—Noi? Desperta! És hora que marxis de l'hospital!

En Tom va continuar fingint que dormia. No volia marxar de la sala de pediatria. Ara no. Ni mai. Només quan va notar que el director li clavava un dit al braç es va adonar que ja no podia continuar la comèdia.

—Però jo no vull tornar al meu horrible internat, senyor —va suplicar el noi.

—Em sembla perfecte. No són pas de l'internat, les persones que han vingut a buscar-te.

—No?

El noi no sabia qui podien ser.

—No. Són els teus pares.

CAPÍTOL 60

UN GELAT DE XO-COLATA LLARGA-MENT OBLIDAT

Les portes dobles del fons de la sala de pediatria es van obrir de bat a bat i els pares d'en Tom hi van entrar.

—TOMMY! —va cridar la mare. Va obrir els braços i en Tom va córrer cap a ella.

La dona el va aixecar de terra i li va fer una gran abraçada. El pare d'en Tom no se'n sortia tan bé en aquesta mena de situacions, i va donar un viril copet a l'esquena del seu fill.

—M'alegro de veure't, fill —va dir.

Els pares d'en Tom estaven molt morens d'haver passat tant temps al desert i duien una roba més adequada per a aquelles latituds. Semblava evident que havien sortit amb moltes presses.

—Una nena anomenada Sally ens va trucar i ens va dir que t'havíem de venir a veure —va explicar la mare.

—La Sally?! —va exclamar en Tom.

—Sí! Una nena encantadora. Havia trobat el nostre número als documents de la matrona. Ens va dir que havíem de venir de seguida. El teu pare i jo estàvem molt amoïnats per tu.

—Aquesta és la Sally! —va dir en Tom, assenyalant la nena al racó més allunyat de la sala.

—Bon dia, senyor i senyora Charper —va cridar la Sally.

—Bon dia, reina! —va respondre la mare d'en Tom—. Has de venir a passar uns dies a casa nostra.

—M'encantaria —va dir en Tom.

—A mi també —va dir la Sally.

—Aquest coi de matrona ens penjava el telèfon cada cop que trucàvem per mirar de parlar amb tu! —va dir el pare—. Estàvem desesperats per tenir notícies teves. La secretària de l'escola ens va trucar quan et vas clavar aquell cop al cap jugant a criquet. Potser hem trucat cent vegades a l'hospital. Bé, i com tens el nyanyo?

—Molt millor, gràcies, papa —va respondre en Tom, amb un somriure.

—Bé, me n'alegro.

—Per cert, mama i papa, tampoc no sabia que m'havíeu escrit.

—Cada setmana, sens falta, enviàvem una carta a St. Willet's —va dir la mare—. No les has rebudes?

—No. Cap ni una.

—No ho entenc.

—El senyor Thews, el director, les cremava totes.

En Tom no havia vist mai el pare tan empipat.

—Si torno a veure aquest home...

—NO T'ESVERIS, MALCOM! —va cridar la mare.

El pare va respirar pesadament durant uns instants, i la ira es va anar apaivagant.

—Bé, fill, tingues per segur que mai no et tornarem a enviar a aquella escola horrible —va dir.

—VISCA! —va cridar en Tom.

—D'ara endavant, estarem sempre junts —va dir la mare—. Com una família normal.

—Anem, fill —va dir el pare.

En aquell moment, la Tootsie va entrar a la sala de pediatria amb el carretó de l'esmorzar.

—Bon dia! Bon dia! Bon dia a tothom!

—Perfecte —va murmurar en Tom per a si mateix—. Em perdré l'esmorzar.

El noi va enretirar la cortina.

—Thomas! Que te'n vas? —va exclamar la dona.

—Sí. I lamento dir que no em quedaré a esmorzar.

—Quina llàstima! Mira que aquest matí hi porto de tot, al carretó!

—Segur que sí. Potser en una altra ocasió.

—És clar. Per cert, crec que he trobat el director de la teva escola, el senyor Thews —va afegir la Tootsie.

—Quan? On? —va preguntar en Tom.

—Avui al matí. A la cambra frigorífica.

—Què?

—S'hi deu haver quedat tancat tota la nit.

—És veritat! Ahir a la nit em va estar buscant per la cambra frigorífica! Quin home tan horrible! Té el que es mereix! —va exclamar en Tom—. I on és, ara?

—Aquí —va dir la Tootsie, enretirant el gran drap que tapava el carretó de l'esmorzar.

I a fe que era el senyor Thews, qui hi havia allà ajagut, tremolant. Una capa de gebre cobria l'home, com si fos un gelat de xocolata llargament oblidat.

—A-a-u-u-x-x-i-i-l-i-i! —va balbejar el director. Les dents li tremolaven tant que li era impossible parlar.

Aauuxxiilii!

—Hauria de baixar a avisar els metges i les infermeres. Potser el podran descongelar —va dir la Tootsie.

—No hi ha cap pressa —va respondre en Tom, amb un somriure.

CAPÍTOL 61 →
UN PETÓ BEN TENDRE

En Thomas sènior va sortir coixejant de l'interior del despatx de la matrona. L'home s'havia quedat adormit després de les aventures de la nit anterior i ara caminava provant de mantenir l'equilibri. Tanmateix, en veure el director de l'hospital, Sir Quentin Strillers, a la sala de pediatria, es va despertar de sobte.

—Oh, d'això... ummm, bon dia, Sir Quentin..., senyor!

—Ah! Bon dia, Thomas sènior.

—Aleshores, està absolutament segur que puc conservar la feina, Sir Quentin?

—No! —va respondre Sir Quentin—. Lamento dir-li que he canviat d'opinió.

—Però vostè va dir... —va protestar en Tom.

—Encara no he acabat, noi —va etzibar l'Strillers—. Tenint en compte la seva capacitat de fer contents els nens, he decidit canviar el seu paper en aquest hospital.

—Ah, sí, Sir Quentin?

—Sí. D'ara endavant s'encarregarà de la sala de pediatria. I penso que es mereix dur el títol de «metge de diversió»!

—Visca! —van cridar els nens.

—Oh, gràcies, Sir Quentin! M'encanta! —va dir en Thomas sènior.

Sota la mirada sorpresa dels seus pares, en Tom va córrer a felicitar el seu amic. El noi es va abraçar a la cintura del metge de diversió.

—M'alegro molt per vostè! —va exclamar.

—Oh, gràcies! —va respondre l'home, mentre els altres nens s'afanyaven també a abraçar-lo. L'Amber ho tenia difícil, amb els braços trencats, però finalment se'n va sortir.

—Però no trobo adequat que continuï dormint al soterrani —va afegir Sir Quentin.

—No, Sir Quentin —va respondre en Thomas Sènior—. Ho lamento, senyor.

La Tootsie es va acostar a l'home.

—Bé, si necessita un lloc on quedar-se, pot dormir al sofà de casa meva.

—De veritat? —va preguntar en Thomas sènior.

—Sí!

—És molt amable per part seva. Mai no he tingut una veritable llar.

—Amb l'esmorzar inclòs! —va replicar la Tootsie.

—No acostumo a esmorzar mai —va mentir l'home—. Però gràcies per oferir-me el sofà. Seria meravellós, de debò.

—Noi, no hi ha dubte que han canviat un munt de coses des que vas ingressar a l'hospital —va començar Sir Quentin—. I totes a millor. He de dir que ha estat un gran plaer tenir-te a L'HOSPITAL LORD FUNT, Tim.

—Em dic Tom —va respondre en Tom.

—N'estàs segur?

—Força segur, senyor. I gràcies a vostè.

—Hauríem d'anar passant, fill meu! —va dir el pare d'en Tom.

—Un moment, papa —va respondre el noi—. He d'acomiadar-me dels meus amics.

En Tom es va adreçar primer a la Sally.

—Al capdavall, el teu somni s'ha fet realitat, Tom —va dir la Sally—. Què t'havia dit?

En Tom va somriure.

—Tot ha estat gràcies a tu, Sally. —El noi va mirar els seus amics—. Us trobaré molt a faltar, nois.

—I nosaltres et trobarem a faltar a tu —va dir en George—. La part bona, és clar, és que hi haurà més bombons per a mi, perquè ja no hauré de compartir-los amb tu.

—La colla dels Amics de Mitjanit no serà el mateix sense tu —va afegir l'Amber.

—Tant de bo no haguessis de marxar, Tom —va dir la Sally.

En Tom va fer un petó ben tendre al cap pelat de la seva amiga.

—Em sap greu. Però ho he de fer.

—Em vindràs a visitar a l'hospital? —va preguntar la Sally.

—Sí —va respondre en Tom.

—M'ho promets?

—T'ho prometo. I aquesta vegada no trencaré la promesa.

La parella va compartir un somriure.

—I jo no t'oblidaré mai —va dir en Robin—. Perdona, com has dit que et deies? —va bromejar.

—HA! HA! HA!

Tots van esclafir a riure.

—Adéu, colla! —va dir en Tom—. Pensaré en vosaltres cada nit a mitjanit. Siguem on siguem. Fem el que fem. Ens trobarem tots en els nostres somnis. I tindrem les aventures més esbojarrades.

El noi va caminar cap a les portes dobles. Allà va donar la mà als seus pares i s'hi va aferrar amb força. Ara que tornaven a ser una família, no se'n separaria mai més.

En Tom es va girar per adreçar una última mirada als seus amics i de seguida va desaparèixer del camp de visió.

EPÍLEG

Al cap d'uns instants, les altes portes de la sala de pediatria es van tornar a obrir de bat a bat. Hi va entrar un home en pijama, amb els dits embenats.

—Tinc una queixa seriosa! —va anunciar en Raj, empipat.

—Quina? —va preguntar en George.

—Encara no m'ha arribat la comanda!

—P-p-però...

—Deixeu-me que la repeteixi. Papadums...